강력한 광운대 인문계 논술

기출문제

저자 소개

저자 김근현은 현재 탁트인 교육, 일으킨 바람, 에듀코어 대표이다.

前 메가스터디 온라인에서 대입 논술과 면접, 자기소개서, 학생부종합 등 다양한 동영상 강의를 하였다.

현재는 학습 프로그램 개발 및 연구 활동을 통해 교육의 발전을 고민하고 있다.

홍익대학교에서 전자전기공학부를 졸업하고 동대학원에서 전자공학 석사(반도체 레이저)를 전공하였다. 또한 연세대학교 교육경영최고위자 과정을 마쳤으며 연세대학교 교육대학원에서 평생교육 경영을 공부하고 있다.

강력한 광운대 인문계 논술 기출문제

발   행 | 2024년 07월17일
저   자 | 김근현
펴낸이 | 김근현
펴낸곳 | 일으킨 바람
출판사등록 | 2018.11.12.(제2018-000186호)
주   소 | 경기도 고양시 일산서구 하이파크 3로 61 409동 1503호
전   화 | 031-713-7925
이메일 | ileukinbaram@gmail.com

ISBN | 979-11-93208-95-3

www.iluekinbaram.com

강력한

광운대 인문계

논술 기출문제

김 근 현 지음

차례

머리말

책을 쓰기 위해 책상에 앉으면 아쉬움과 안타까움, 나의 게으름에 늘 한숨을 먼저 쉰다.
왜 지금 쓸까?
왜 지금에서야 이 내용을 쓸까?
왜 지금까지 뭐했니?
스스로 자책을 한다.

또 애절함도 함께 느낀다.
시험이 코앞에서야 급한 마음에 달려오는
수험생들에게 왜 미리 제대로 준비된 걸 챙겨주지 못했을까?
그렇게 하루, 한 달, 일 년 그렇게 몇 해가 지나 이제야 조금 마음의 짐을 내려놓는다.

입에 단내 가득하도록 학생들에게 강의를 했고,
코앞에 다가온 연속된 수험생의 긴장감을 함께하다 보면
그렇게 바쁘게 초조하게 지냈던 것 같다.

그렇게 함께했던 시간을 알기에
부족하겠지만
부디 이 책으로 수험생들이 부족한 일부를 채울 수 있고,
한 걸음이라도 희망하는 꿈을 향해 다가갈 수 있길 간절히 바래 본다.

김 근 현

I. 광운대학교 논술 전형 분석

1. 논술 전형 분석

1) 전형 요소별 반영 비율

전형요소	논술	학생부교과	총합
논술고사	70%	30%	100%

2) 학생부 교과 반영

30%

(ㄱ) 반영교과 및 반영비율

- 계열 구분 없이 국어, 수학, 영어, 사회, 과학 교과(편제) 반영
- 학년별 가중치 없음, 교과별 가중치 없음

※ 한국사는 사회교과목에 포함하여 반영

대 상	인정범위	반영 교과
졸업(예정)자	1학년 1학기 ~ 3학년 1학기	국어, 영어, 수학, 과학, 사회

(ㄴ) 공통과목 및 일반선택과목

구분	등급	1등급	2등급	3등급	4등급	5등급	6등급	7등급	8등급	9등급
변환점수		100	98	96	94	92	88	80	70	0

(ㄷ) 진로선택과목

- 반영교과에 해당하는 전 과목의 성취도를 등급으로 변환하여 반영

성취도	A	B	C
석차등급	1	3	5
변환점수	1000	980	900

(ㄹ) 교과점수 계산식

$$교과점수 = \frac{\sum(반영\,교과목\,석차등급\,점수 \times 이수단위)}{\sum(반영\,교과목\,이수단위)} \times 1.0\,(교과점수\,반영비율\,100\%)$$

(ㅁ) 최종 학생부 반영 점수

$$학생부\,반영\,점수 = 변환점수평균 \times \frac{학생부\,교과\,반영\,총점}{1000}$$

(ㅂ) 논술 전형 30% 적용시 학생부 교과 반영 점수

구분	등급	1등급	2등급	3등급	4등급	5등급	6등급	7등급	8등급	9등급
30%		300	297	294	285	270	240	210	150	0

3) 수능 최저학력 기준

없음

없음

4) 논술 전형 결과

(ㄱ) 2024학년도 논술 전형 결과

대학	모집단위	모집인원	지원인원	경쟁률	학생부등급	논술고사성적	충원합격인원	충원합격 비율(%)
인문사회과학대학	국어국문학과	4	155	38.75	4.46	80.38	1	25.0
	영어산업학과	4	152	38.00	4.82	80.88	-	-
	미디어커뮤니케이션학부	8	410	51.25	4.62	86.38	-	-
	산업심리학과	4	163	40.75	3.66	73.38	-	-
	동북아문화산업학부	6	238	39.67	3.99	81.17	-	-
정책법학대학	행정학과	5	218	43.60	4.32	80.10		
	법학부	11	477	43.36	4.56	83.27	1	9.1
	국제학부	4	154	38.50	4.37	75.50	2	50.0
경영대학	경영학부	15	790	52.67	4.04	82.43	5	33.3
	국제통상학부	6	252	42.00	3.87	82.42	-	-
인문계열 소계		**67**	**3,009**	**44.91**	**4.27**	**80.59**	**9**	**13.4**

(ㄴ) 2023학년도 논술 전형 결과

대학	모집단위	모집인원	지원인원	경쟁률	학생부등급	논술고사성적	충원합격인원	충원합격비율(%)
인문사회과학대학	국어국문학과	3	100	33,3	4.61	75.00	-	-
	영어산업학과	4	124	31.00	4.41	81.38	-	-
	미디어커뮤니케이션학부	8	391	48.90	4.03	83.56	-	-
	산업심리학과	5	189	37,80	4.45	81.50	-	-
	동북아문화산업학부	6	237	39.50	4.47	77.42	2	33.3
정책법학대학	행정학과	5	173	34.60	4.23	81.70	-	-
	법학부	11	438	39.80	4.52	85.27	-	-
	국제학부	4	155	38.80	4.30	82,38	-	-
경영대학	경영학부	15	836	55.70	4.18	79.87	4	26.7
	국제통상학부	6	247	41.20	4.53	85.58	1	16.7
인문계열 소계		**67**	**2890**	**43.10**	**4.34**	**81.77**	**7**	**10.4**

(ㄷ) 2022학년도 논술 전형 결과

대학	모집단위	모집 인원	지원 인원	경쟁률	학생부 등급	논술고사 성적	충원합격 인원	충원합격 비율 (%)
인문사회 과학대학	국어국문학과	3	101	33.70	4.67	81.50	1	33.3
	영어산업학과	5	177	35.40	4.50	83.20	0	0.0
	미디어 커뮤니케이션 학부	8	434	54.30	4.89	82.00	0	0.0
	산업심리학과	4	170	42.50	4.35	84.50	1	25.0
	동북아문화 산업학부	6	248	41.30	4.78	80.25	0	0.0
정책법학 대학	행정학과	5	182	36.40	4.70	80.10	0	0.0
	법학부	12	495	41.30	4.82	83.13	0	0.0
	국제학부	3	114	38.00	5.20	83.50	4	133.3
경영대학	경영학부	15	792	52.80	4.64	77.27	7	46.7
	국제통상학부	6	260	43.30	4.54	85.08	0	0.0
인문계열 소계		67	2973	44.40	4.70	81.40	13	19.4

(ㄹ) 2021학년도 논술 전형 결과

대학	모집단위	모집인원	지원인원	경쟁률	학생부등급	논술고사성적	충원합격인원	충원합격비율
인문사회과학대학	국어국문학과	4	127	31.80	4.51	87.75	1	25
	영어산업학과	5	155	31.00	4.34	84.00	0	0
	미디어커뮤니케이션학부	9	378	42.00	4.76	88.61	1	11
	산업심리학과	5	178	35.60	4.80	82.40	0	0
	동북아문화산업학부	7	248	35.40	4.50	82.57	4	57.1
정책법학대학	행정학과	6	183	30.50	4.73	80.17	2	33.3
	법학부	13	428	32.90	4.56	85.85	4	30.8
	국제학부	4	109	27.30	5.10	81.13	0	0.0
경영대학	경영학부	16	650	40.60	4.06	72.22	3	19
	국제통상학부	7	233	33.30	4.55	78.86	2	29
인문계열 소계		76	2689	35.40	4.53	81.41	17	22.4

2. 논술 분석

구분	인문계열
출제 근거	고교 교육과정 내 출제
출제 범위	국어, 화법과작문, 독서, 언어와매체, 문학, 통합사회, 경제, 정치와법, 사회·문화, 생활과윤리, 윤리와사상
논술유형	인문 통합교과형 논술
문항 수	2문항 (각 문제당 750자 내외)
답안지 형식	문항별 글자수 제한, 원고지형 답안지
고사 시간	120분

1) 출제 구분 : 계열 구분

2) 출제 목적

가. 미래지향성과 개방적 사고력 평가
  ● 급변하는 현대사회의 변화 추세에 대처할 수 있는 진취적인 사고력
  ● 정보의 홍수 속에서 필요한 지식을 선별적으로 습득할 수 있는 능동성과 주체성
  ● 기존 학문 영역의 경계를 과감하게 넘나드는 개방적 자세와 통합적 사고력
나. 복합적 문제 해결 능력 평가
  ● 문제 해결 과정에서 기초 교과지식 및 원리를 적절히 적용할 수 있는 능력
  ● 서로 다른 여러 분야의 지식에 대한 학습자 주도적 지식 함양 수준
  ● 다양한 분야의 문제들을 분석적/통합적으로 이해하고 해결할 수 있는 능력
  ● 각 분야의 전문적 지식과 경험을 종합하여 문제 해결에 응용할 수 있는 창의력과 통합 능력
다. 논리적이고 설득력 있는 의사소통 능력 평가
  ● 논리적으로 생각하기, 논리적으로 말하기, 논리적으로 글쓰기 능력
  ● 개념에 대한 정확한 이해력과 활용력, 정확한 우리말 어법을 바탕으로 자신의 생각을 명확히 전달할 수 있는 능력, 풍부한 어휘 구사력과 적절한 표현력

3) 출제 형식 :

● 복수의 제시문을 상호 관련시켜 통합형으로 출제
● 2문항 : 각 750자 내외

4) 출제 유형

● 분석 논술형 : 제시문 속에 내재되어 있는 다양한 요인과 변수들을 선별해 내어 명료
하게 분석할 수 있는 능력을 측정하는 문제

● 설명 논술형 : 제시문에서 다루고 있는 대상에 대해 정확히 이해하고 설명할 수 있는
능력을 측정하는 문제

● 비판 논술형 : 제시문에서 드러난 입장이나 주장의 한계 및 문제점에 대해 논거를 들
어 설득력 있게 비판할 수 있는 능력을 측정하는 문제

● 해석 논술형 : 제시문의 논지를 정확히 이해하여 그 대상의 의미나 성격에 대해 다른
형태로 풀어쓸 수 있는 능력을 측정하는 문제

● 종합 논술형 : 두 개 이상의 제시문의 내용을 종합하여 상호 관련성을 파악하고 설명
할 수 있는 능력을 측정하는 문제

● 복합 논술형 : 위에서 언급한 분석·설명·비판·해석·종합 능력 가운데 두 가지 이상의
능력을 복합적으로 측정하는 문제

5) 출제 및 평가내용 :

가. 제시문 내용에 대한 이해력
■ 제시하고 있는 개념, 상황, 맥락에 대한 정확한 이해력
■ 핵심 개념, 주장, 근거의 관계에 대한 종합적 사고력

나. 논리적 비판 능력
■ 자료와 근거에 대한 비판적 평가 능력
■ 서로 다른 주장의 핵심 내용을 파악하는 논리적 구분 능력
■ 구체적 사례와 일반적 주장의 관계에 대한 논리적 평가 능력
■ 개념들을 통합적으로 연결할 수 있는 논리적 구성력

다. 문제해결 능력
■ 문제해결 방안의 창의성
■ 주장의 논리성
■ 융합적 사고력과 기존 학문 경계에 대한 도전 정신의 수준

라. 의사표현 능력
■ 주장의 일관성과 설득력
■ 정확한 어법과 표현의 명료성

3. 출제 문항 수

구분	인문계
문항수	2문항 (각각 750 ± 50)

4. 시험 시간
· **120분**

5. 논술 유의사항
1) 논술고사 유의 사항
가. 출제 의도를 정확히 파악할 것
- 제시문과 질문의 내용을 정확히 파악한 후 답안을 작성할 것
- 제시문이 여러 개일 경우 그 관계(유사, 대립, 비교, 예시, 상보 등)를 정확히 파악하고 그 관계를 바탕으로 답안을 구성할 것 답안 작성시 주어진 제시문의 핵심적인 내용을 파악했음을 드러낼 것

나. 제시문의 정보에 근거하여 답안을 작성할 것
- 주어진 제시문의 내용 외에 자신의 상식과 지식을 중언부언하지 말 것
- 제시문을 통해 주어진 정보를 최대한 많이 활용하도록 할 것
- 각 제시문에서 최소한 하나 이상의 정보를 활용할 것
- ※ 특정 제시문에 대한 논의가 전혀 없을 경우 감점 요인이 됨

다. 논리적이고 명료하게 답안을 작성할 것
- 요구된 답안의 분량보다 과도하게 적거나 많지 않도록 주의할 것
- 논리적인 비약이나 주관적 판단에 의존하지 말 것
- 내용 이해에 혼란과 어려움을 가져오는 비문과 오문을 쓰지 않도록 주의할 것

2) 논술답안 작성시 유의 사항
- 시험시간은 2시간(120분)입니다.
- 답안지 상의 모집단위, 성명, 수험번호, 주민등록번호 앞자리를 "검정색 볼펜"으로 정확히 기재 및 마킹(진하게)바랍니다.
- 답안 작성란은 "검정색 볼펜" 또는 "검정색 연필(샤프)"로 작성하십시오.
  - ※ 검정색 이외(빨간색, 파란색 등) 사용 금지
  - ※ 지우개, 수정액, 수정테이프 사용 가능
- 답안지에는 제목을 쓰지 마십시오.
- 답안과 관련 없는 표현이나 표시를 하지 마십시오.
- 답안지 1장 이내에 답안을 작성해야 합니다.

II. 기출문제 분석

1. 출제 경향

학년도	교과목	질문 및 주제
2025학년도 모의	국어, 독서, 화법과 작문, 윤리와 사상	창의성, 도전, 놀이, 경쟁, 이상 사회, 실패
	사회·문화, 독서	대중문화, 매스 컬처. 파퓰러 컬처, 비판적 수용, 히피 패션, 여성 재현
2024학년도 수시1	문학, 독서, 국어, 통합사회, 사회·문화	가짜 뉴스, 마녀사냥, 담론, 뇌의 선택적 지각, 자유론, 의사소통
	언어와 매체, 생활과 윤리, 정치와 법	매체, 언론, 정치, 가짜뉴스
2024학년도 수시2	생활과 윤리, 독서, 국어	가짜 뉴스, 마녀사냥, 담론, 뇌의 선택적 지각, 자유론, 의사소통
	국어, 독서, 언어와 매체, 생활과 윤리, 정치와 법	인공지능, 심층학습, 기술의 성과와 부작용, 기술 영향 평가
2024학년도 모의	생활과 윤리, 윤리와 사상, 사회문화, 독서	집단주의, 개인주의, 유행, 자존감, 부동심, 아파테이아
	통합사회, 사회·문화, 생활과 윤리	용광로 이론, 샐러드 이론, 독립적 자아, 창씨개명, 문화융합
2023학년도 수시1	윤리와 사상, 생활과 윤리, 독서, 문학	권력, 통제와 감시, 페놉티콘, 광장, 밀실, 국가, 사이버 폭력, 사생활 침해
	문학, 통합사회, 사회문화	산업화·도시화, 공간 불평등, 기능론, 상징적 상호 작용론
2023학년도 수시2	통합사회, 사회·문화, 독서	부르키니, 프랑스, 여성, 오리엔탈리즘, 제국주의, 주체
	경제, 독서, 문학, 통합사회	정보 격차, 정보의 비대칭성, 역선택, 도덕적 해이, 보험, 금융

학년도	교과목	질문 및 주제
2023학년도 모의	생활과 윤리, 윤리와 사상, 사회문화, 독서	집단주의, 개인주의, 유행, 자존감, 부동심, 아파테이아
	사회·문화, 정치와 법, 국어, 윤리와 사상	흑인 차별, 기능론, 갈등론, 헌법, 차별 금지 소송, 시민 불복종, 공론장
2022학년도 수시1	윤리와 사상, 생활과 윤리, 독서, 사회·문화	과학기술, 가치중립성, 실용주의, 패러다임, 요낫의 책임윤리
	경제, 통합사회, 생활과 윤리	기후 변화, 온실가스, 시장 실패, 정부 실패
2022학년도 수시2	화법과 작문, 사회·문화, 생활과 윤리	노키즈존, 타자 지향성, 자유 제한, 출산율
	경제, 독서, 생활과 윤리, 통합사회	자본주의, 정부 실패, 빈부격차, 양극화 현상, 기업의 사회적 책임, 동반성장
2022학년도 모의	통합사회, 생활과 윤리, 윤리와 사상, 문학	합리적 선택, 윤리적 소비, 기회비용, 자유주의, 공화주의
	사회, 문학, 국어, 윤리와 사상	인간 중심주의, 생태 중심주의, 환경 문제, 무위자연
2021학년도 수시1	문학, 언어와 매체, 사회·문화	반문화, 사회 혼란, 주류 문화, 지배 문화, 긍정적 인식, 부정적 인식, 비판적 성찰, 저항
	통합사회, 국어, 독서	나홀로족, 위험사회, 유정한 사회, 과잉 연결 사회, 사람 간 관계, 관계의 회복
2021학년도 수시2	국어, 독서, 사회·문화, 통합 사회	문화, 심근성, 천근성, 언어, 한자, 선별된 전통
	통합사회, 생활과 윤리	직업, 학력, 능력주의, 자유주의적 정의관, 공동체주의적 정의관

학년도	교과목	질문 및 주제
2021학년도 모의	독서, 화법과 작문, 국어, 윤리와 사상	인공지능의 통제, 실존주의, 유연성과 창의성, 인간의 존엄성과 주체성, 한계 상황
	독서, 통합사회, 윤리와 사상	마녀사냥, 필로크세니아. 문화적 차이, 이질성, 타자에 대한 환대, 인종차별, 사회 갈등, 패러다임, 포용, 공존, 혐오, 배척

2. 출제 의도

학년도	출제의도
2025학년도 모의	4차 산업 혁명 시대와 더불어 국제 사회는 더 치열한 경쟁의 구도 속에서 경제, 사회, 문화를 포함한 다양한 영역에서 각축을 벌이고 있다. 이런 상황에서 세계 시장을 선도하기 위해서는 더 높은 가치와 가능성을 위한 혁신적인 도전이 필요하다. 또한 새로운 시각과 창의성을 갖추고 자유 경쟁 속에서 실패와 위험을 무릅쓴 적극적 도전 정신을 발휘해야 한다. 본 문제는 창의성과 도전, 현대 사회의 경쟁에 대한 시각, 4차 산업 혁명 시대의 혁신적 도전, 동서양의 이상 사회론으로 본 경쟁에 대한 부정적 시각 등을 논제로 삼아 학생들의 논술 능력을 알아보기 위하여 출제했다.
	대중문화의 힘이 점점 더 강해지고 있는 현실을 우리는 살아가고 있다. 대중문화가 없는 생활을 상상조차 하기 어렵다. 이런 생활을 하다 보니 자연스럽게 대중문화를 통해 많은 것을 인지하고 배우게 된다. 대중문화가 학교나 가정, 종교처럼 강한 사회화 제도의 하나가 되는 것이다. 이런 상황에서도 대중문화를 어떻게 수용할 것인지 우리 사회에서는 깊이 고민하지 않고 있다. 그래서 대중문화를 매스 컬처(mass culture)와 파퓰러 컬처(popular culture)로 구분한 뒤, 대중문화가 어떻게 특정 사안을 다르게 재현을 하고 있는지, 결론적으로 왜 비판적으로 대중문화를 받아들여야 하는지 살펴보았다. 결국 이 문제는 대중문화에 대해 깊이 생각해 보기 위해 출제했다. 문제의 논제는 다음의 세 가지로 구성되어 있다. 대중문화를 매스 컬처(mass culture)로 다룬 시각을 살펴보고, 이를 더 자세히 설명하기 위해 대중문화의 단점과 아도르노의 대중음악에 대한 분석을 소개했다. 두 번째 논제는 대중문화를 파퓰러 컬처(popular culture)로 다룬 시각을 살펴보고, 이를 더 자세히 설명하기 위해 1960년대 미국의 히피 문화를 소개했다. 세 번째 논제는 대중문화를 비판적으로 받아들여야 한다는 명제를 말한 후 여성의 재현에 대한 상반된 시각, 즉 광고 속 객체로 그려진 여성과 사랑에서 주체적으로 선택하는 여성을 제시문으로 보여주면서 비판적으로 분석하도록 했다. 제시문 (가)는 대중문화를 매스 컬처(mass culture)와 파퓰러 컬처(popular culture)로 구분해 설명한 것을 제시했고, (나)는 대중문화의 단점을 열거한 뒤 아도르노의 에세이를 통해 이 주장을 보완했으며, (다)는 1960년대 미국의 히피 집단의 문화를 패션 중심으로 소개했다. (라)는 대중문화가 여성을 어떻게 객체로 재현하고 있는지 구체적으로 제시했고, (마)는 사랑에서 주체가 된 여성을 제시했다.

학년도	출제의도
2024학년도 수시1	현재 인류에게 닥친 가장 시급한 문제는 환경 문제이다. 그 가운데 지구온난화 문제는 가장 심각하다. 지구 온난화는 동식물의 생장 환경에 영향을 주어 생물종의 다양성을 저해하는데, 이는 식량 부족과 질병 증가로 이어질 수 있고, 인류의 일상을 위협하는 기상 이변을 빈번하게 한다는 점에서도 위협적이다. 이런 상황에서 환경 문제에 대해 여러 생각을 할 수 있도록 지문을 구성해 보았다. 먼저 환경 문제가 왜 지금 가장 시급한 문제가 되었는지 생각해 보았고, 환경 문제를 만든 산업화와 개발의 근원적인 토대가 무엇인지 창세기를 통해 살펴보았다. 서구적 사고와 달리 동양적 사고는 어떠한지 살펴보기 위해 윤선도의 시조와 정극인의 『상춘곡』을 예시로 들어, 무한한 욕망을 추구하는 자본주의 체제와 달리 두 작품에는 안분지족(安分知足)의 자세가 들어 있고, 무엇보다 자연 친화적인 태도인 물아일체(物我一體) 사상이 녹아 있음을 알았다. 이후 과학적인 방법으로 환경 문제를 해결하기 위해 인공 광합성에 대해 살펴보았다. 결국 이러한 지문들을 통해 지금의 환경 문제가 얼마나 심각한지 알아보도록 했고 그 원인을 파악한 뒤, 다시 해법으로 사상적 토대인 자연 친화적 태도를 살펴본 뒤, 기술적인 해법으로 인공 광합성을 다루어 환경 문제에 대한 전반적이고 통합적인 눈을 기르도록 했다. 본 문제는 환경 문제에 대해 다양하게 사고하고, 이를 토대로 종합적으로 사고하는 논술 능력을 알아보기 위하여 출제했다.
	최근 가짜뉴스와 관련된 논란이 거세다. 특히, 정치와 관련하여 가짜뉴스가 여론을 그릇되게 형성하고 이에 따른 사회적 갈등과 혼란이 늘어나고 있다. 가짜뉴스는 기원전 기록에도 나와 있을 만큼 오랜 역사를 지니고 있는데 왜 이 시점에서 더 큰 문제가 되는가? 이와 관련하여 여러 원인을 지적할 수 있지만 공통으로 제기하는 원인이 디지털 매체의 등장이다. 누구나 콘텐츠를 생산하여 빠른 속도로 유통할 수 있게 된 매체 환경이 질 낮은 콘텐츠의 생산과 유통량을 증가시켰다. 게다가 매체는 본래 편향성을 띤다. 이런 이유로 디지털 환경에서 좋은 콘텐츠를 선별하여 이를 바탕으로 자신의 의견을 형성하고 여론을 인식하는 역량을 키워야 한다. 이 문제는 가짜뉴스의 증가와 디지털 매체의 관계, 그리고 그 결과가 여론에 미치는 영향, 이런 상황에서 정보를 비판적으로 수용하는 방법을 정리하여 제시할 수 있는 능력을 알아보기 위해 출제했다.

학년도	출제의도
2024학년도 수시2	기술의 발전으로 다변화되고 다양해진 미디어 환경에서 누구나 자유롭고 빠르게 정보를 생성하고 공유할 수 있게 되면서 가짜 뉴스와 같이 신뢰할 수 없는 정보의 생성과 확산이 국가, 사회, 그리고 전세계적으로 심각한 문제가 되고 있다. 금전적인 목적이나 권력의 유지를 위해 거짓 정보를 이용하는 것은 사회 전반의 갈등과 분열과 같은 부정적인 파급 효과를 가져온다. 따라서 새로운 미디어 환경에서 누구나 자유롭게 자신의 의견을 표현할 수 있지만 옳고 진실된 정보를 제시하고 상대방이 이를 잘 이해할 수 있도록 합리적이고 이성적인 의사소통의 원칙을 준수함으로써 가짜 뉴스나 왜곡된 정보의 생성과 유통을 막고 이성적이고 합리적인 판단과 사회의 화합을 이루어 가는 것이 요구된다. 이러한 점에서 새로운 미디어 환경에서 정보가 어떻게 생성되고 확산되는가, 가짜 뉴스와 마녀사냥과 같은 현상이 발생하는 이유는 무엇인가, 가짜 뉴스가 진실이라고 지각되는 원인은 무엇인가, 최근의 미디어 환경에서 자신의 의견이나 정보를 어떻게 표현하고 정보의 진위 여부를 어떻게 판단해야 하는가의 문제를 다룰 필요가 있다. 본 문제는 새로운 미디어 상황에서 나타나는 현상, 가짜 뉴스와 마녀사냥의 개념과 발생 이유, 의사 소통의 자유와 합리성에 관한 다양한 관점을 논제로 삼아 학생들의 논술 능력을 알아보기 위하여 출제했다.
	기술 발전의 속도가 기하급수적으로 증가하고 있고 이러한 기술이 사회에 미치는 영향력이 매우 크다. 전문가뿐만 아니라 일반 시민도 기술의 발전을 이해하고 기술 발전에 대한 의견을 주고받으며 함께 토론하는 참여하는 것이 중요한 시점이다. 특히, 인공 지능 기술의 영향력을 우리 사회 각 분야에서 체감하고 있다. 인공 지능 기술은 다양한 교과서에서 많이 다루어지고 있는 주제이며, 인공 지능 기술에 대한 소개, 이를 둘러싼 문제, 관련 사례소개도 많이 수록되어 있다. 이러한 배경에서 출제자는 학생들이 인공 지능 분야에서 사용되는 용어나 개념을 정확하게 이해하고, 인공 지능 기술의 사회적 영향력에 대한 상반된 관점을 비교하며, 기술 적용의 부정적 영향력은 줄이고 긍정적 영향력을 높이는 방안을 이해할 수 있는 능력을 측정하고자 본 문제를 출제하였다.
2024학년도 모의	목표와 방향이 없는 삶은 무의미하고 무가치하다. 자신의 생각과 의지로 성실하고 올바른 방향으로 인생의 목표를 설정하고 이를 향해 달려가는 삶을 살아야 할 필요가 있다. 그러나 지나친 경쟁과 결과지향적인 가치에 매몰되어 속도와 조급함과 좌절감으로 인생의 참된 의미와 가치를 잃어버리는 경우가 많다. 인생은 목표를 향해 나아가는

학년도	출제의도
	경로와 과정 또한 결과 못지않게 중요하다. 인생의 무게와 고통과 실패를 짊어지고 감내해가는 과정에서 인생의 참된 의미와 행복을 찾아가야 한다. 본 문제는 고등학교 국어, 독서, 화법과 작문, 윤리와 사상 과목에서 다루고 있는 자신의 삶의 성찰, 경로지향적인 삶의 의미, 삶의 가치와 행복에 대한 공리주의 사상을 논제로 삼아 학생들의 논술 능력을 알아보기 위하여 출제했다
	한국 사회는 물론이고 전 세계도 점점 다문화 시대가 되어 가고 있다. 다문화 시대가 되어가고 있다, 라는 말은 하나의 고유한 민족이 살던 곳에 다른 나라에서 이민 온 이들이 함께 살아가면서 여러 갈등이 발생한다는 뜻을 담고 있기도 하다. 우리나라에서도 다양한 문화의 차이로 인한 갈등이 발생한 지 이미 오래 되었다. 그래서 이제 이 문제를 더 이상은 회피할 수 없는 상황이 되었다고 본다. 이런 상황에서 타 문화에 대한 태도를 용광로 이론과 샐러드 볼 이론으로 구분해서 살펴본 후, 두 이론의 단점을 지적하고 이 문제를 해결하기 위해 어떻게 해야 할 것인지 고찰할 기회를 주기 위해 출제했다. 이 문제는 제시문 각각의 핵심 논지를 이해하고 논제에 맞게 그 내용을 적절히 요약하거나 가공하여 서술하는 능력, ㉠, ㉡, ㉢의 핵심적 의미를 파악하고 제시문에 주어진 내용을 활용하여 그 연관성을 통합적으로 논술하는 능력 등을 종합적으로 측정하고자 하였다.
2023학년도 수시1	국가, 조직, 개인 그 누구라도 권력의 주체가 될 수 있다. 권력은 그 주체가 국가나 사회, 집단 내 구성원이 인간다운 삶의 가치를 추구하고 자아를 실현할 수 있도록 지지하고 보호하는 역할을 수행하는데 중요한 기반이 된다. 그러나 권력이 그 범위를 넘어 지나치거나 비정상적인 방식으로 행사될 때 사회 윤리적으로 개인과 사회 및 국가에 미치는 파급 효과가 매우 클 것이다. 예를 들어 정부 권력자들의 부정부패, 국민의 개인권에 대한 지나친 개입과 처벌, 사이버 공간에서의 타인 정보와 사생활 침해와 같은 권력의 무분별한 통제와 감시는 개인적 삶의 질과 인간의 존엄성뿐 아니라 국가나 사회 전체에 부정적인 영향을 미칠 수 있다. 이러한 점에서 권력의 주체가 마땅히 수행해야 할 역할은 무엇인가, 그 역할의 정당성은 어떻게 부여받아야 하는가, 권력의 주체가 윤리적 책임과 사회적 요구를 어떻게 수용해야 하는가의 문제를 다룰 필요가 있다. 문제는 국가의 역할, 권력의 통제와 감시, 사이버 공간에서의 권력 행사와 윤리적 책임에 관한 다양한 관점을 논제로 삼아 학생들의 논술 능력을 알아보기 위하여 출제했다.

학년도	출제의도
	우리 사회가 급격한 발전을 경험하면서 도시와 농촌 간 공간 불평등 문제가 반세기가 넘도록 쉽게 해결되고 있지 않다. 학생들은 도시와 농촌 간의 공간 불평등과 농촌지역의 낙후와 소외현상 문제를 다양한 과목을 통해 배우고 있다. 고등학교 통합사회 교과서는 정의의 의미와 기준 등을 탐구하고 사회적·공간적 불평등 현상을 완화하기 위한 다양한 제도와 실천 방안을 탐색하는 것으로 목표로 한다. 출제자는 도농 간 공간 불평등 문제를 이해하고 해결하는 것에 관한 다양한 접근방식이 다양한 교과과목에 존재한다는 점에 착안하여 학생들이 하나의 문제에 관한 다양한 접근법을 종합적으로 적용하는 능력을 측정하고자 하였다.
	문학작품 농무(신경림 作)에 나타나 있고 사회 과목인 통합사회, 사회문화에서 함께 다루고 있기도 한 도시와 농촌 간 공간 불평등 문제와 농촌의 소외현상을 사회 문제를 바라보는 주요 관점인 기능론과 상징적 상호작용론 관점에서 학생들이 분석하고 해결방안을 찾아볼 수 있게끔 유도하기 위해 본 문제를 출제하였다.
2023학년도 수시2	최근 중동에서 특정 여성이 히잡을 제대로 착용하지 않았다고 경찰에게 문제가 된 이후 그 여성이 살해되는 일이 발생했다. 이를 계기로 중동 여성의 인권에 대한 문제가 다시 한번 제기되었다. 히잡이라는 의상에 대한 문제에서 시작해 여성 인권, 여성의 자유, 여성의 권리 등에 대한 문제로 번지는 그 사건을 보면서 복장이 인간에게 어떤 억압이 될 수 있는지 고민했고, 그런 중동의 여성 복장을 바라보는 서구의 시선에 대해서도 생각하게 되었다. 그래서 중동의 복장이 불러온 여러 문제들, 가령 문화 상대주의, 오리엔탈리즘, 페미니즘, 탈식민주의 등등 다양한 개념을 토대로 이 문제를 바라보면서 종합적으로 생각하는 능력을 기르는 게 좋을 것 같다는 생각에 이번 논술 문제를 출제했다.
	프랑스에서 문제가 되었던, 이슬람교도 여성들의 부르키니 착용 문제를 중심으로 중동에 대한 서구의 시선을 여러 관점에서 살펴보도록 했다. 부르키니(Burqini)는 이슬람교도 전통 의상인 '부르카(Burqa)'와 '비키니(Bikini)'를 합성한 말로, 이슬람교도 여성들이 착용하는 전신 수영복을 말한다. 머리부터 발목까지 감싼 형태로 얼굴과 손, 발 이외의 신체는 노출하지 않는다. 래시가드처럼 몸에 딱 붙는 재질을 사용하지만, 몸의 형태를 드러내지 않기 위해 원피스를 덧씌운 투피스 형태로 입는 것이 일반적이다. 프랑스에서는 이 복장을 두고 여성의 인권을 억압하고 공공 장소에서 특정 종교를 드러내기 때문에 입을 수

학년도	출제의도
	없다고 하면서 논란이 되었다. 이 논란을 토대로 식민주의와 근대화 담론의 관계를 보면서 갑작스런 근대화 담론이 왜 불편한지 살펴보았고, 공간적 관점에서 문화를 고찰하면서 왜 중동에서 돼지고기를 금지하고 히잡이 등장하게 되었는지 지형적 특징을 중심으로 살펴보았다. 이후 오리엔탈리즘을 통해 서구가 어떻게 동양을 바라보는지 고찰했고, 다시 페미니즘을 통해 여성의 주체적 선택은 존중받아야 한다는 입장을 전했다. 다시 말하지만, 결국 부르키니 논란을 통해 문화 상대주의, 오리엔탈리즘, 페미니즘, 탈식민주의 등을 동시에 이해할 수 있는지 파악하기 위해 출제했다.
	전통적인 경제학에서는 인간을 호모 에코노미쿠스로 설정하고 최소의 비용으로 최대를 성과를 얻는 효율성을 추구한다고 가정하였다. 합리적 선택을 위해서는 개인이 그 선택으로 인한 편익과 비용을 정확히 파악할 수 있어야 하지만, 현실에서는 정보의 비대칭성 때문에 불가능한 경우가 많다. 이러한 정보의 비대칭성은 역선택과 도덕적 해이라는 폐해를 낳고, 결과적으로 시장 실패를 초래할 수 있다. 따라서 정보의 비대칭성을 개선하는 방법을 생각해 볼 필요가 있다. 본 문제는 합리적인 선택을 설명하고 이를 방해하는 요소인 정보의 비대칭성을 문학 지문인 만세전을 통해 구체적으로 드러냈다. 정보의 비대칭성의 폐해인 역선택과 도덕적 해이를 보험 시장과 연관하여 설명하도록 하였고, 정보의 비대칭성을 개선하기 위한 행동인 선별과 신호 발송을 금융 거래와 연관하여 지적하도록 하여, 정보의 비대칭성의 폐해와 개선 방법을 정확하게 이해하고 있는지를 종합적으로 평가하고자 하였다.
2023학년도 모의	유행과 같은 동조 소비는 현대 소비 사회의 특성을 반영하는 현상으로 주변 사람들과 동일한 것을 추구함으로써 균등화와 안도감을 느끼거나 유행을 따르지 않는 사람들과 구별되는 만족감을 얻기 위한 동기가 결합되어 나타난다. 이러한 유행은 개인이 속한 문화권 (집단주의 또는 개인주의)의 속성에 의해 영향을 받을 수 있다. 그러나 보다 근본적으로 유행은 낮은 자아 존중감으로 인한 자아의 회복을 얻기 위한 수단으로 여겨진다. 유행은 과소비와 과시 소비와 같은 불합리한 소비로 이어질 수 있다. 본 문제는 유행 현상, 유행에 영향을 미치는 집단주의와 개인주의 문화의 특성, 마음과 자아에 관한 동양과 서양 사상을 논제로 삼아 학생들의 논술 능력을 알아보기 위하여 출제했다.

학년도	출제의도
	사회적 소수자에 대한 차별은 우리 사회에서도 자주 문제가 되었다. 가령 장애인의 이동권을 쟁취하기 위한 시위를 어떻게 볼 것인지, 즉 인간의 당연한 권리를 주장하는 정당한 시위인지 시민의 편의를 볼모로 한 '나쁜' 시위인지에 대한 논의가 최근에 크게 일었다. 저출산이 가속화되면서 동남아 노동자의 전입이 더 늘어가고 있는 상황에서, 앞으로 사회적 소수자에 대한 차별은 더욱 심화될 것이고, 따라서 이를 둘러싼 논쟁도 더욱 가속화될 것으로 보인다. 이런 상황에서 미국의 흑인 차별을 예시로 사회적 소수자의 차별을 어떻게 바라볼 것인지, 차별을 방지하기 위한 방안은 무엇인지 고찰할 기회를 만들기 위해 이 문제를 출제했다. 논제는 사회적 불평등 현상을 바라보는 두 관점에서 시작된다. 기능론과 갈등론이 그것인데, 각 관점에서 흑인에 대한 백인의 차별을 어떻게 정당화할 수 있는지, 또는 정당화할 수 없는지 물었다. 그리고 차별을 없애기 위해 법적으로, 시민 운동적으로 어떻게 해야 하는지 차별 금지 소송과 하버마스의 시민 불복종을 통해 설명했다.
2022학년도 수시1	현대 과학 기술의 지식이 개인과 사회에 미치는 영향력이 매우 크다. 이와 더불어 과학 기술의 가치에 대한 평가와 윤리적 책임에 관한 논의도 중요한 의제로 부각되고 있다. 예를 들어 원자 폭탄의 개발은 과학적 지식의 중요한 산물이지만 진실의 발견과 진리 탐구라는 과학자의 의도와 원자 폭탄의 사용이 인류에게 미친 영향에 대한 긍정적 또는 부정적 가치의 판단은 진리와 가치 또는 실용성의 관계에 관한 논쟁을 끊임없이 불러 일으켜 왔다. 이러한 시점에서 과학 기술이 추구하는 진리나 사실은 시대적 패러다임이 요구하고 제한하는 가치와 분리되어야 하는가, 과학 기술은 시대의 윤리적 책임과 사회적 요구에 제한받아야 하는가의 문제를 재고할 필요가 있다. 본 문제는 과학 기술의 가치중립성, 시대의 패러다임과 과학 기술의 윤리적 책임에 관한 다양한 관점을 논제로 삼아 학생들의 논술 능력을 알아보기 위하여 출제했다.
	오늘날 기후 변화 문제는 전 지구에 미치는 영향력이 매우 큰 환경 오염문제가 되었다. 특히, 경제활동에서 배출되는 온실가스는 기후 변화 문제의 주요 원인이다. 개인의 차원부터 국제적 차원까지 온실가스를 감축하기 위한 다방면의 노력이 활발하게 논의 중이다. 학생들은 환경과 자원의 문제를 다양한 과목을 통해 배우고 있다. 고등학교 경제 교과서는 다양한 사회 문제를 사회 전체적 맥락에서 파악하여 합리적으로 해결하는 방법을 모색하는 등 우리 사회가 요구하는 실질적 경제 능력을 습득하는 것을 학습목표로 제시한다. 경제 교과목은

학년도	출제의도
	환경 오염 문제를 시장에서 자원이 효율적으로 배분되지 못한 상황의 주요 사례로 소개하고 있다. 구체적으로 경제 교과서는 환경 오염으로 인해 자원의 비효율적인 배분상황을 시장 실패의 개념으로 분석하고 이를 해결하기 위해서 정부가 시장에 개입하는 방식과 그러한 방식이 가질 수 있는 한계를 정부 실패의 개념으로 분석하는 사고의 틀을 제시한다. 출제자는 기후 변화 문제도 환경 오염 문제 중 하나라는 점에 착안하여 학생들에게 이러한 경제학적 접근방법을 이해하고 이를 다른 과목에서 배우고 있는 기후 변화와 자원 문제에 적용하게 함으로써 학생들의 다양한 분야의 능력을 분석적이고 통합적으로 측정하고자 하였다. 기후 변화와 온실가스 배출 문제를 시장 실패의 주요 개념인 부정적 외부효과와 공유 자원의 문제와 연결지어 설명하고, 이러한 시장 실패의 문제를 해결하기 위한 방안으로 정부가 시장에 개입하는 방식과 그에 대한 비판점을 정확히 이해하고 이를 체계적으로 분석할 수 있는 능력을 측정하기 위해 본 문제를 출제하였다.
2022학년도 수시2	최근 몇 년 사이에 사회적 논란이 되고 있는 문제 가운데 하나인 노키즈존은 여러모로 우리 사회를 깊이 생각하게 만든다. 저출산이 사회적 문제, 국가적 과제가 되고, 심지어 미래의 큰 걱정거리라고 하면서도 아이들을 차별하는 노키즈존이 버젓이 늘어가는 현상을 어떻게 바라보아야 할 것인가? 우리 사회는 왜 이런 현상이 일어나도록 지켜보고만 있는 것일까, 라는 생각에 이 문제를 출제했다. 무엇보다 곧 어른이 될 10대 후반의 청소년들이 반드시 알아야 할 인권과 개인의 자유, 타자에 대한 자세 등을 통해 주체가 타자를 어떻게 대해야 하는지, 그리고 사회적 문제인 저출산 문제를 어떻게 해결할 수 있는지 파악하는 데 유용할 것이라고 생각해 출제했다. 노키즈존에 대한 찬반 입장을 다소 객관적으로 서술해서 왜 이런 현상이 지금 일어나고 있는지 먼저 파악하도록 했다. 업주와 손님의 입장에서 왜 이들이 노키즈존이라는 것을 만들었는지 알아보는 것이 중요하다고 생각한 것이다. 그래서 누구나 노키즈존을 편안한 공간으로 받아들일 수도 있다는 것을 설명했다. 그러나 이런 노키즈존이, 그곳에 드나드는 사람들이 왜 문제가 될 수 있는지 레비나스의 철학적 입장을 통해 설명했다. 레비나스의 타자 지향성은 소수자 차별과 소통 문제를 해결하기 위한 철학적 토대를 매우 중요하게 제시하고 있다. 그리고 개인의 자유를 어느 정도까지 허용할 수 있는지, 저 유명한 고전인 밀의 『자유론』을 통해 설명하고자 했다. 밀은 개인의 자유

학년도	출제의도
	는 무제한적으로 보장되어야 하지만 타인의 자유를 침해하는 자유는 결코 허용될 수 없다고 했는데, 노키즈존이 약한 타자인 아이들의 자유를 침해한다는 사실을 깨닫도록 했다. 우리 사회의 화두로 떠오른 저출산·노령화 문제를 노키즈존과 연결해서, 저출산이 문제라고 하면서도 왜 정작 아이들을 출입할 수 없는 상점들이 늘어가고 있는지, 그 아이러니를 설명하고자 했고, 그 아이러니를 해결하기 위해서는 아이에 대한 인식의 변화가 시급하다는 것을 알도록 했다. 결국 노키즈존 논란을 통해 개인의 자유, 타자 지향성이라는 철학적 토대, 저출산에 대한 인식 등을 동시에 이해할 수 있는지 파악하기 위해 출제했다.
	18세기 후반에 일어난 산업혁명으로 확립된 산업 자본주의는 시장 실패를 거쳐 정부의 적극적인 개입을 강조하는 수정 자본주의로 변화하였다. 그러나 20세기 후반에 정부 실패가 나타나면서 정부의 역할을 제한하고 시장의 기능과 자유로운 경제 활동을 강조하는 신자유주의에 기초한 자본주의가 나타났다. 그러나 지나친 효율성의 추구로 인하여 양극화 현상이 나타나 사회통합을 저해시키고 있으며, 동시에 자원 고갈, 환경 파괴 등의 문제들도 심화되고 있다. 이러한 문제점을 해결하기 위한 시도로 성장과 사회통합을 동시에 달성하고자 하는 자본주의 4.0이 모색되고 있다. 자본주의 4.0은 정부와 시장의 균형과 협력을 필요로 하는데, 이를 달성하기 위한 방안을 기업의 사회적 책임의 관점에서 생각해 볼 필요가 있다. 본 문제는 자본주의의 변화 과정을 통해서 자본주의의 문제점을 지적하고, 이 중 양극화 현상을 편의점 사례를 통해 구체적으로 드러냈다. 편의점 업계와 편의점 프랜차이즈 기업은 급속하게 성장하고 있음에도 편의점 점주는 수익 하락과 불공정한 계약으로 경영 환경이 악화되고 있으며, 아르바이트 점원의 노동 환경 역시 개선이 필요하다. 이러한 편의점 점주와 아르바이트 점원의 상황을 기업의 사회적 책임에 대해 소극적인 관점과 적극적인 관점에서 각각 어떻게 바라보고 있으며, 이들에 대한 적절한 대응책을 제시할 수 있는지를 종합적으로 평가하고자 하였다.
2022학년도 모의	현대 자본주의 사회는 최소의 비용으로 최대의 편익을 도모하는 합리적 선택과 소비를 지향한다. 그러나 개개인의 지나친 사적 이익의 추구는 자연 환경, 인권 등을 포함한 공공적 가치와 공동선을 위협하거나 갈등을 일으킬 수 있다. 공동체의 이익과 우리를 둘러싼 자연환경을 배려하는 윤리적 소비가 주목받고 있는 것은 바로 이러한 전 지구

학년도	출제의도
	적인 관심을 반영하고 있다. 본 문제는 합리적 선택과 윤리적 소비, 인간 중심 대 생태 중심적 사상, 개인과 공동체의 이익에 관한 자유주의와 공화주의의 사상을 중심으로 개개인의 합리적 선택과 소비가 자연과 공동체에게 미치는 영향을 인간 중심 대 생태 중심적 사상으로 생각해 보고, 합리적 선택과 윤리적 소비를 대비시켜 각각 개인선과 공동선을 지향하는 자유주의와 공화주의의 관점에서 서술하는 학생들의 논술 능력을 알아보기 위하여 출제했다
	과학 기술의 발전과 경제 성장으로 인류는 풍족하게 살게 되었지만, 그에 못지않게 심각한 환경 문제에 직면하게 되었다. 이제는 피부 깊숙이 다가온 미세 먼지 문제부터 매년 느끼는 지구온난화 현상 등은 인류가 당면한, 가장 심각한 문제가 되었다. 그래서 이제 이 문제를 더 이상은 회피할 수 없는 상황이 되었다. 이런 상황에서 자연을 대하는 인간의 자세를 인간 중심주의와 생태 중심주의로 구분해서 살펴본 후 환경 문제를 해결하기 위해 무엇을 해야 할 것인지 고찰할 기회를 만들기 위해 이 문제를 출제했다. 본 문제의 논제는 다음의 두 가지로 구성되어 있다. '인간 중심주의'와 ⓒ의 "빈대 잡겠다고 초가삼간 태우겠다는 미친놈 짓거리"를 연결해서 개념 정리와 사례 분석을 정확하게 하도록 했다. 두 번째 논제는 '생태 중심주의'와 ⓐ의 "허파도 별빛이 묻어 조금은 환해진다"를 연결해서, 개념 정리에서부터 개념의 시적 적용 능력을 살펴보도록 했고, 다시 ⓐ의 "허파도 별빛이 묻어 조금은 환해진다"를 '무위자연'과 연결해 해석하도록 했다.
2021학년도 수시1	(가)의 반문화의 개념과 그 두 가지 인식을, (나)와 (다)의 개별 사례를 통해 설명해야 하는데, 그것을 핵심어로써 요약·정리해야 한다. 뿐만 아니라 문학작품 (라)를 꼼꼼히 읽으면서, 행간의 의미와 맥락을 종합적으로 이해하여, 반문화에 대한 심도 있는 이해를 하는 데 초점을 맞춘다. 제시문 (가)에는 '반문화(反文化, counter-culture)'에 대한 두 가지 인식이 나타나 있다. 하나는 주류 문화 또는 지배 문화에 충돌하는 과정에서 기존 사회의 질서에 혼란을 초래할 수 있는 부정적 인식이고, 다른 하나는 주류 문화 또는 지배 문화에 대한 비판적 성찰 속에서 보다 나은 사회의 방향을 모색할 수 있다는 긍정적 인식이다. 제시문 (나)는 히피 문화의 사례를 통해 반문화에 대한 긍정적 인식을 보여준다. 제시문 (다)는 폭주족의 질주 문화를 통해 반문화에 대한 부정적 인식을 보여준다.

학년도	출제의도
	제시문 (라)는 훈민정음 창제와 관련하여, 한글이 백성들에게 널리 유포될 경우 일어날 수 있는 사회문화적 급변화에 대한 인식을 보여준다. 여기서 중요한 것은 훈민정음을 반문화로서 인식하는 면이다. ⓛ과 ⓒ은 표면상 반문화에 대한 비슷한 인식을 지닌 것처럼 보이지만, (라)를 꼼꼼히 읽어보면 그 행간의 의미에서 반문화의 긍정적 인식과 부정적 인식을 도출해낼 수 있다. ⓛ은 반문화의 부정적 인식을 보여준다. 오랫동안 양반 사대부 중심의 주류 문화 또는 지배 문화를 뒷받쳐 주던 한자(漢字)외에 새 글자인 훈민정음을 백성이 익히게 되면, 지금까지 사대부만의 전유물이었던 학문 세계를 백성도 접하게 됨으로써 사대부 중심으로 형성된 주류 문화와 충돌을 일으킬 수 있어 사회 혼란을 초래할 수 있기 때문이다. 때문에 ⓒ은 반문화의 긍정적 인식을 보여준다. 훈민정음이 백성들에게 널리 유포되면, 무엇보다 자신의 생각과 느낌을 잘 표현할 수 있을 뿐만 아니라 새 글자에 의해 다양하고 많은 정보와 지식을 습득하고 이해할 수 있으므로 사대부 중심의 주류 문화에 대한 비판적 성찰을 통해 보다 나은 삶의 계기를 모색할 수 있다.
	최근 우리나라는 산업화와 도시화, 1인 가구의 증가에 따라 혼자서 여가를 즐기고 혼자서 밥을 먹는 이른바 나홀로족이라는 사회현상이 나타나고 있다. 그동안 부정적으로 보여졌던 나홀로족이 이제는 자신의 행복이나 자기 계발 등을 위해 혼자만의 시간을 즐기려는 사람으로 인식되고 있어 나홀로족을 바라보는 태도가 변화하고 있다. 그러나 나홀로족을 바라보는 시선에는 극단적 개인주의 성향에 따른 공동체 의식의 실종과 같은 부작용을 우려하는 시각도 있다. 이러한 시점에서 나홀로족 현상의 원인과 양상을 심층적으로 이해하고 나홀로족 현상이 사회와 공동체에 미치는 영향을 파악하여 이러한 현상의 문제점을 해결하기 위한 논의를 제고할 필요가 있다. 본 문제는 나홀로족 현상과 그 문제점, 산업화와 도시화의 특성, 공동체 사회에서의 인간의 삶에 관한 다양한 관점을 논제로 삼아 학생들의 논술 능력을 알아보기 위하여 출제했다.
2021학년도 수시2	한국의 문화 산업은 오랫동안 세계 시장을 목표로 했지만, 그 도전은 결코 쉽지 않았고 성공은 멀기만 했다. 그러나 BTS가 미국 빌보드 차트에서 1위를 기록하고 봉준호 감독의 영화가 칸국제영화제에 이어 미국의 아카데미 시상식에서도 작품상과 감독상을 비롯한 주요 부문에서 수상하자, 한국에서도 세계에서도 한국의 문화 산업을 어떻게

학년도	출제의도
	바라볼 것인지 여러 측면에서 논의가 일었다. 어떤 형태의 논의가 진행되더라도 한국에서 한국어로 만든 대중 음악과 영화가 어떻게 세계 시장에서 인정을 받고 흥행을 할 수 있었는지에 집중되었다. 이런 상황에서 문화에 대한 이론적 해석과 실제적 사례를 통한 문화 전파와 자국화, 문화 수용과 배척 등에 대해 논의하는 것은 매우 의미 있는 일이라고 할 수 있다. 문화에 대한 혜안이 돋보이는 이어령의 '심근성(深根性)'의 문화와 '천근성(淺根性)'의 문화, 즉 이념이나 정통에 깊이 뿌리를 박고 있는 대륙형 문화인 심근성의 문화와, 이식과 수용·적응이 잘되는 해양성 섬 문화인 천근성의 문화를 통해 문화의 특성과 전파, 수용에 대해 생각하고, 이 바탕 위에서 영국의 문화 이론가 윌리엄스의 '선별된 전통(selective tradition)'이라는 개념, 즉 과거의 수많은 문화 중에서 후세대가 선택한 것들만 전통으로 남게 됐다는 주장을 통해 문화의 특성에 대해 살펴보았다. 현재 전통으로 존재하는 것은 과거의 문화 가운데 '현재의 필요'에 의해 선별되어 지속된 것이고, 반대로 외래 문화 역시 일방적으로 배척되거나 수용된 것이 아니라 오랜 시간에 걸쳐 '현재의 필요'에 따라 수용된 것이라는 주장으로, 지금의 문화 현상을 돌아볼 수 있을 것이라고 생각했기 때문이다. BTS나 봉준호가 세계 시장에서 호응을 받은 것도 그들 문화 생산물에 타 문화권에서 수용하기 쉬운 '그 무엇'이 들어있기 때문이고, 그런 특성은 식민주의 이후 타국의 문화 수용을 통해 우리 안에 이미 존재했기 때문이다. 이런 토대 위에서 문화에 대한 열린 시선으로 지금의 문화와 문화 현상을 어떻게 이해할 수 있을지 함께 고민하고자 했다.
	유한한 사회적 자원을 분배하는 기준에는 여러 가지가 있지만, 오늘날에는 각자의 능력에 따라 분배하는 능력주의가 가장 공정한 분배 기준으로 받아들여진다. 이러한 능력주의가 가장 크게 작용하는 곳이 바로 대학입시와 취업이다. 일반적으로 사람들은 학업에 대해 개인의 능력과 노력에 따라 성과가 나타난다고 생각한다. 따라서 이를 바탕으로 좋은 대학에 진학하고, 다시 좋은 직장에 취업하는 것은 공정한 기회의 평등으로 여겨진다. 그러나 과연 능력주의가 공정한 것인지 또한 어떤 문제점이 존재하는지 한번 생각해 볼 필요가 있다. 문제는 사회 불평등 현상과 그 분배 기준에서 능력주의를 바탕으로 그 장점과 문제점을 논술하고, 이를 자유주의적 정의관과 공동체주의적 정의관과 연결지어 능력주의의 폐해를 완화시킬 수 있는 방법 중에 하나인 '사회적 약자에 대한 적극적인 우대 조치'를 각각 종합적으로 평가할 수 있는지를 측정하고자 하였다.

학년도	출제의도
	인공지능 로봇의 발전은 인간 삶에 긍정적 혜택도 많지만 로봇의 일자리 대체, 로봇의 도덕적 책임 문제, 로봇의 인간 지배에 대한 불안과 위협 등 여러 가지 사회경제적, 철학적 문제와 이슈를 제기하고 있다. 본 문제는 인공지능 로봇의 개발, 로봇에 대한 수용과 비판, 로봇이 인류의 삶에 미칠 영향을 논제로 삼아 학생들의 논술 능력을 알아보기 위하여 출제했다.
2021학년도 모의	글로벌화로 인해 일상생활에서 다양한 문화적 타자와 접촉할 기회가 폭발적으로 증가하고 있다. 종교적, 인종적, 계급적, 종족적 타자, 성소수자나 외국인 노동자, 난민 문제 등을 둘러싸고 이들의 문화적 다양성을 포용하고 인정해야 한다는 도덕적 당위에도 불구하고, 사회 일각에서는 이러한 문화적 타자를 혐오하고 차별하고 배척하는 마녀사냥과 유사한 현상 또한 혹은 공공연하게 혹은 은연중에 일어나고 있다. 이처럼 글로벌 시대 다문화적 가치가 백가쟁명(百家爭鳴)하고 있는 도덕적 혼돈의 상황에서 바람직한 세계 시민주의의 가치와 태도는 무엇인지에 대해 근본적인 수준에서 주체적인 고민을 요구하려는 의도에서 본 논제를 출제하게 되었다. 논제에서는 중세(혹은 근대 초기) 유럽의 마녀사냥이나 고대 그리스의 필로크세니아, 그리고 캐나다와 오스트레일리아가 경험한 인종주의에 대한 인식의 대전환과 같은 다양한 역사적 사례를 교훈으로 제공한다. 이에 대한 학습과 성찰은 현대인들이 봉착하고 있는 다문화 상황에서 문화의 다양성을 존중하면서도 사회 질서를 해치지 않는 바람직한 방안이 무엇일지에 대한 합리적 판단을 도출하는 데 도움이 될 것이다. 또한 오늘날 당연시되는 통념으로 자리잡은 문화 다양성을 존중하는 정책, 즉 다문화 정책이 처음부터 그랬던 것은 아니며, 매우 더디고 어려운 사회적 갈등과 역사적 희생을 경험한 이후에야 인종 차별주의적 편견을 극복하는 패러다임의 전환이 이루어졌음을 깨달음으로써 현대인들을 옥죄고 있을지 모르는 시대적 고정관념의 감옥에 대한 성찰의 필요성을 제기하고자 한다. (가)는 마녀사냥이 지닌 양면성(비합리적 측면과 합리적 측면)에 대해 설명하고 있다. (나)는 캐나다와 오스트레일리아에서 다문화 정책이 정착하게 된 역사적 과정에 대해 설명하고 있다. (다)는 세계 시민주의의 의미를 고대 그리스의 '필로크세니아'를 통해 설명하고 있다. (라)는 패러다임의 의미와 패러다임 전환이 이루어지는 사회적 과정에 대해 설명하고 있다.

III. 논술이란?

1. 논술이란?

1) 논술이란?

어떤 문제에 대해 자기 나름의 주장이나 견해를 내세운 다음, 여러 가지 근거를 제시하여 그 주장이나 견해가 옳음을 증명하는 글쓰기 활동을 말한다. 따라서 논술의 가장 기본적인 요소는 주장과 근거이다. 다시 말해 어떤 주제에 관해서 자신의 견해를 밝히고 자기 의견을 내세우는 글이 바로 논술이다. 때문에 논술은 특별히 논리적이어야 한다는 요구를 받게 된다. 왜냐하면 여러 가지 의견이 있을 수 있는 문제에 대해 자신의 의견을 세워 다른 사람을 설득하려면, 그 주장이 충분한 근거 위에서 논리적으로 개진될 때만 가능하기 때문이다.

2) 대한민국 논술고사는?

한국에서의 대학 입시 논술고사는 실제 교과 과정과 교과서가 기본이 되어 응용된 사고와 풀이 능력과 지식을 바탕으로 한다. 논술고사는 일반적을 비판적으로 글을 읽는 능력과 창의적으로 문제를 설정하고 해결하는 능력 그리고 논리적으로 서술하는 능력을 종합적으로 평가하는 시험이다. 비판적으로 글을 읽는다는 것은 능동적으로 자신의 관점에서 글을 읽는 것을 말하며, 창의적으로 문제를 설정하고 해결하는 능력이란 심층적이고 다각적으로 논제에 접근함으로써 독창적인 사고와 풀이를 이끌어낼 수 있는 능력을 말한다. 그리고 논리적 서술 능력은 글 구성 능력, 근거 설정 능력, 표현 능력 등을 포괄한다.

3) 인문계 논술? 그리고 그 변화

모든 글은 일반적으로 3가지 종류로 나뉘어진다. 시, 소설 등 문학 작품과 같은 글쓰기인 창작적 글쓰기(creative writing)와 설명문이나 해설문의 글쓰기는 해명적 글쓰기(expository writing), 그리고 논설문의 글쓰기인 비판적 글쓰기(critical writing)가 있다. 이 글쓰기 중 대한민국의 대학입시에서 시행되고 있는 인문계 논술은 창작적 글쓰기는 포함되지 않는다. 새로운 문학 작품을 쓰는게 아니라 제시문을 읽고 내용을 구체화시켜 잘 설명하는 설명문의 형태가 있고, 주어진 문제에 대해 생각하고 깊이있는 주장을 피력하는 비판적 글쓰기도 있다.

2. 논술의 기본 용어

1) 논제 : 논술의 문제를 의미한다.
반드시 해결하고 접근하여야 할 논술 시험의 대상이다.
   (ㄱ)   중심 논제 : 채점할 때 가장 배점이 높으며, 핵심적으로 해결해야 할 논술의 문제
   (ㄴ)   세부 논제 : 큰 논제 속에 포함된 작은 문제, 각 단계별 채점의 기준이 되며 세부 채점 항목으로 필수 해결 항목이다.
2) 논거 : 논술에서 설명하고 주장하는 논리적인 근거 혹은 이유

3) 주장 : 수험생이 생각하고 채점자에게 알리고 싶은 생각
4) 제시문 : 보기 지문을 말한다.
  (ㄱ)   출제자가 논제 해결을 위해 보여주는 다양한 글
  (ㄴ)   각종 그래프, 도표, 그림 등
       자료가 정해져 있지는 않다. 하지만 고등학교 교과서를 가장 많이 인용하
    고, 고등학교 교과 과정으로 분석하고 판단할 수 있는 내용을 제시한다.
5) 개요 : 논제에 맞게 더 구체적으로는 세부 논제에 맞게 글의 진행 방향을 간략하
    게 정리하는 과정이다.

3. 논술의 명령어

논술고사 후 대학의 발표 자료를 보면 논술은 출제자의 의도에 부합하게 글을 써야 한다
고 강조한다. 그런데 출제자의 의도를 파악하는 것은 자칫 상당히 모호하고 주관적인 것
으로 판단하기 쉽다.
 하지만 인문계 논술에서는 명령어가 한정되어 있다. 그 명령어들을 잘 익히고 의미를 파
악한다면 훨씬 논술의 이해가 높아질 것이다. 또한 대학의 채점 기준에는 명령어의 요구
조건을 충족하는지를 평가한다. 그러므로 인문계 논술의 명령어는 수험생에게는 아주 기
초적이지만 필수적이며 절대 잊지 말아야 할 중요한 핵심이다.

1) ~ 에 대해 논술하시오.

  ; 주장을 밝히고 근거를 제시한다.

2) ~ 에 대해 설명하시오.

   : 사실, 주장 등을 쉽게 풀어서 밝힌다.

> ● ~ 제시문 간의 관련성을 설명하시오.
> ● ~ 제시문의 논리적 타당성과 문제점을 설명하시오.
> ● ~ 제시문을 참고하여 주어진 자료의 특징을 설명하시오.
> ● ~ 제시문의 관점에서 왜 그런 현상이 생기는지 그 이유를 설명하시오.

3) ~ 의 비교하시오. 혹은 대조하시오.

   : 공통점과 차이점을 중심으로 설명한다.

> ● ~ 공통점과 차이점을 설명하시오.

4) ~ 을 분석하시오.

   : 주제를 구성요소로 나누고 각 부분의 의미와 상호관계를 밝힌다.

5) ~ 제시문과 주어진 자료를 참고하여 현상을 예측해 보시오.

   : 주어진 자료를 해석하고 자료로부터 얻을 수 있는 시간에 따른 변화나 자료의 발
생 이유를 살핀다.

6) ~ 제시문의 문제점을 지적하고 그 문제점을 해결할 방법을 제시하시
    오.

   : 보통은 수학이나 과학의 역사에서 발생했던 여러 오류나 실험과정에서 나타난 문

제점을 가지고 있다. 또한 이론이나 실험, 학생의 실험보고서 등과 같이 확실한 오류가 있는 제시문을 주기도 한다. 분명히 문제점을 파악하여 답안에 서술하고 문제점이나 해결할 수 있는 방법 등을 명확히 하여야 한다.

> ● ~ 제시문의 관점에서 왜 그런 현상이 생기는지 그 원리를 설명하고 그런 현상을 예방할 수 있는 방안을 제시하시오.
> ● ~ 문제점을 지적하고 합리적 대안을 제안해 보시오.
> ● ~ 주어진 관점을 검증할 수 있는 방법을 논하시오.
> ● ~ 주어진 문제점을 해결할 수 있는 실험을 설계해 보시오.

7) 제시문의 관점에서 주장을 비판하시오.

: 어떤 주장의 타당성이나 가치 등을 평가한다.

4. 인문계 논술 글쓰기 유의사항

① 논제의 해결이 핵심이다. 출제자가 원하는 답을 써야 한다.

② 논제에 부합하는 글을 일관성 있게 써야 한다.

③ 한편의 글을 완성하여야 한다. 나열하거나 사례를 보여주는 것은 의미가 없다.

④ 제시문을 활용, 인용하는 것과 제시문을 그대로 옮겨 쓰는 것은 다르다. 적절하게 제시문의 내용을 사용하여 논제를 해결하여야 한다. 절대 제시문의 문장을 그대로 쓰면 안 된다. 금기사항이고 감점요인이다.

⑤ 부적절한 문장 즉, 비문을 만들지 말아야 한다. 주어와 서술어가 적절하게 있어 문장의 의미를 명확히 전달하여야 한다. 주어를 생략하거나 지시어를 과도하게 사용하면 문장의 의미가 모호해 진다.

⑥ 문장은 짧고 간결하게 써야 한다. 자신의 의견을 명확히 간결하고 효과적으로 밝혀야 한다.

5. 논술 확인 사항

1. 답안지는 지급된 흑색 볼펜으로 원고지 사용법에 따라 작성하여야 합니다.
(수정액 및 수정테이프 사용 금지)

2. 수험번호와 생년월일을 숫자로 쓰고 컴퓨터용 사인펜으로 ● 표기하여야 합니다.

3. 답안의 작성 영역을 벗어나지 않도록 각별히 유의 바라며, 인적사항 및 답안과
. 관계없는 표기를 하는 경우 결격 처리 될 수 있습니다.

4. 제시된 작성 분량 미 준수 시 감점 처리됨을 유의 바랍니다.

Ⅳ. 인문계 논술 실전

1. 각 대학별 논술 유의사항을 파악하라!

　　많은 대학에서 글자수 제한을 확인하여야 한다. 그래서 원고지 형이 많지만, 문항별 칸을 만들거나 밑줄 답안 형식도 있다. 논술 시험 시간은 각 대학별로 다양하다. 60분 즉, 한 시간을 시작으로 많게는 2시간까지 (120분)까지 다양하게 있다. 대학별로 준비해야 하는 중요한 이유이다. 답안을 작성하는 필기구도 다양하다. 연필(샤프펜)의 사용이 꾸준히 증가하지만 아직까지 검정색 볼펜이나 청색 볼펜으로 사용하는 학교도 많다. 주의할 것은 수정법이다. 수정은 학교에 따라 수정액, 수정테이프의 사용을 제한하는 경우도 있고 틀리면 두줄을 긋고 써야 하는 곳도 있다. 그러므로 각 대학별 특징을 파악하고, 미리 답안 작성 연습은 물론이고 작성할 때도 대학별로 금지하는 내용을 숙지하고 시험장에 가야 한다.

각 대학별 유의사항 사례

사례 1)

가. 답안은 한글로 작성하되, 글자수 제한은 없다.

나. 제목은 쓰지 말고 특별한 표시를 하지 말아야 한다.

다. 제시문 속의 문장을 그대로 쓰지 말아야 한다.

라. 반드시 본 대학교에서 지급한 필기구를 사용하여야 한다.

마. 수정할 부분이 있는 경우 수정도구를 사용하지 말고 원고지 교정법에 의하여 교정하여야 한다.

바. 본 대학교에서 지급한 필기구를 사용하지 않거나, 수정도구를 사용한 경우, 답안지에 특별한 표시를 한 경우, 또는 원고지의 일정분량 이상을 작성하지 않은 경우에는 감점 또는 0점 처리한다.

사례 2)

Ⅰ. 필요한 경우 한 개 또는 여러 개의 제시문을 선택하여 논의를 전개하고, 사용한 제시문은 꼭 참고문헌 형태로 표시하시오.

　　예) …[제시문 1-4].

　　예) …되며[제시문 2-4], …의 경우는 ~을 보여준다[제시문 2-1].

Ⅱ. [문제 1]부터 [문제 4]까지 문제 번호를 쓰고 순서대로 답하시오.

Ⅲ. 연필을 사용하지 말고, 흑색이나 청색 필기구를 사용하시오.

Ⅳ. 인적사항과 관련된 표현을 일절 쓰지 마시오.

Ⅴ. 문제당 배점은 동일함.

사례 3)

◇ 각 문제의 답안은 배부된 OMR 답안지에 표시된 문제지 번호에 맞춰 작성하시오.

◇ 각 문제마다 정해진 글자수(분량)는 띄어쓰기를 포함한 것이며, 정해진 분량에 미달하

거나 초과하면 감점 요인이 됩니다.
◇ 답안지의 수험번호는 반드시 컴퓨터용 수성 사인펜으로 표기하시오.
◇ 답안은 검정색 필기구로 작성하시오. (연필 사용 가능)
◇ 답안 수정시 원고지 교정법을 활용하시오. (수정 테이프 또는 연필지우개 사용 가능)
◇ 답안 내용 및 답안지 여백에는 성명, 수험번호 등 개인 신상과 관련된 어떤 내용, 불필
요한 기표하면 감점 처리됩니다.

사례 4)
◆ 답안 작성 시 유의사항 ◆
□ 논술고사 시간은 90분이며, 답안의 자수 제한은 없습니다.
□ 1번 문항의 답은 답안지 1면에 작성해야 하고, 2번 문항의 답은 답안지 2면에
작성해야 합니다. 1, 2번을 바꾸어 작성하는 경우 모두 '0점 처리'됩니다.
□ 연습지는 별도로 제공하지 않습니다. 필요한 경우 문제지의 여백을 이용하시기
바랍니다.
□ 답안은 검정색 또는 파란색 펜으로만 작성하며 연필, 샤프는 사용할 수 없습니다.
□ 답안 수정은 수정할 부분에 두 줄로 긋거나 수정테이프(수정액은 사용 불가)를
사용해서 수정합니다.
□ 답안지에는 답 이외에 아무 표시도 해서는 안 됩니다.
□ 답안지 교체는 고사 시작 후 70분까지 가능하며, 그 이후는 교체가 불가합니다.

2. 제시문에 먼저 눈을 두지 말고 문제를 파악하라!!!

대학별 고사인 논술의 어려운 점은 시간의 제한이 있는 글쓰기 시험이라는 것이다.
자유롭게 잘 쓸 수 있는 내용일지라도 시간의 제한이 있으면 얘기가 달라진다. 특히
지금과 같이 각 대학별로 다양하게 등장하는 시험에 익숙하지 않은 수험생에게는 더
큰 부담으로 작용을 한다.

대학에서는 다양하게 제시문과 문제를 분포시킨다. 문제를 등장시키고 제시문이 등장
하는 경우, 그림과 도표, 그래프 등과 같이 자료를 제시하고 제시문과 문제를 함께 등
장시키는 경우, 제시문을 많이 등장시키고 마지막에 문제를 제시하는 경우 등... 이렇
듯 다양한 문제에 시간의 적절한 활용은 대학별 고사의 실전에서는 당락을 결정하는
중요 요소이다.

이러한 실전적 논술에서 핵심은 바로 목적을 가지고 제시문의 읽기가 선행되어야 한
다. 글 읽기의 핵심은 문제을 통해 논제를 구체적으로 파악하고 그 논제에 부합하게
제시문을 분석하는 것이다.

① 문제를 먼저 확인하라!! - 제시문을 읽고 문제를 보면 다시 긴 제시문을 또 읽어 시간
을 낭비한다.
② 세부 논제 확인하라!! - 한 문제라도 그 문제 속에 다루는 논제는 여러 개가 될 수 있

다. 그 질문 내용을 파악하라. 그리고 요구한 논제에 맞게 글을 구성한다.
 ③ 전제적 요건 파악하라!! – 각 문제의 전제적 요건 및 글로 표현된 부연 설명 등이 중
요한 키워드가 될 수 있다.

V. 광운대학교 기출

1. 2025학년도 광운대 모의 논술

[문제 1] ㉠을 (나)를 활용하여 설명하고, ㉡을 (라)의 관점에서 서술한 다음, ㉢을 (가)와 (다)를 활용하여 비판하시오. (50점, 750±50자).

(가)

　우리 주변의 놀이터를 떠올려 보자. 현재 우리나라의 놀이터와 놀이 기구는 규정만을 충족하는 수준에서 만들어지고 관리되다 보니, 대부분의 아이에게 재미없고 지루한 놀이터가 되고 말았다. 그렇다면 다수의 우리나라 아이들이 지금 '재미없고 도전하지 못하는 놀이터'에서 놀고 있는 것은 아닐까? 문제는 여기서부터 시작된다. 아이들의 흥미를 반영하지 못하고 놀이터를 지루하게 만들면, 사고가 일어날 위험이 상대적으로 높아진다. 왜냐하면 놀이터나 놀이 기구가 단순하고 수준이 낮다고 느낄 때, 아이들은 본래 기능과 용도에 맞지 않는 방법으로 놀고 싶은 유혹에 쉽게 빠지기 때문이다. 아이들이 길을 걷는 방식과 어른들이 길을 걷는 방식은 다르다. 아이들은 막히면 어른처럼 돌아가지 않고, 넘어서 가려 한다. 아이들은 보통 어떠한 것이든 다르게 표현하거나 사용하고 싶어하는 ㉠ **'반달리즘(vandalism)'** 경향을 보이는데, 그들에게는 그게 놀이이기 때문이다. 놀이터에서 발생하는 이러한 '반달리즘' 경향의 원인은 다양성과 창의성이 부족한 놀이 기구에서 찾을 수 있다.

　앞서 말했듯이 미끄럼틀에 붙여놓은 "거꾸로 올라가지 마시오."라는 문구는 오히려 놀이터를 지루해하는 아이들에게는 거꾸로 올라가고 싶은 욕구를 불러일으킬 수 있다. 사실 이러한 문구는 미끄럼틀이 아이들이 올라갔다가 미끄러져 내려오는 것 말고는 다르게 응용할 수 없는 놀이 기구임을 드러내는 것이다. 그리고 더 큰 문제는 그럼에도 불구하고 놀이터에 이러한 미끄럼틀밖에 없다는 것이다.

　우리나라에 지루한 놀이터만 있는 이유는 위험하다고 못하게 하는 어른들에게서 찾아볼 수 있다. 어른들은 눈에 보이는 아이들의 안전을 지키기에 급급하다. 하지만 이보다 중요한 것은 실제 아이들이 안전을 확보하는 능력, 즉 위험한 상황에서 스스로 안전하게 대처하는 능력을 키우는 것이다. 안전은 아이들은 조심스럽게 키워야 보장되는 것이 아니라, 아이들이 위험을 스스로 다룰 수 있어야 보장되는 것이라는 기본 명제를 다시 한번 생각해 볼 필요가 있다.

　놀이는 도전을 의미한다. 다시 말해서 하지 않던 것을 해 보거나 할 수 없었던 것을 날마다 조금씩 도전해 가는 과정 자체가 놀이인 것이다. 물론 놀이터에서 자주 다쳐서는 결코 안 된다. 하지만 도전하는 과정에서 아이들이 겪는 회복 가능한 수준의 작은 부상은 무엇이 위험한 것이고, 그러한 일을 겪지 않으려면 어떻게 조심해야 하는지 아이들 스스로 깨닫게 하는 데에 도움이 된다. 초등학생들을 대상으로 하는 놀이터를 유아 수준의 놀이터로 만들어 놓고, 안전한 놀이터를 만들었다고 자만하는 것은 오히려 아이들에게 스스로 안전한 방법을 찾을 기회를 주지 않는 것이다.

(나)

데페이즈망(de paysement)은 우리말로 흔히 '전치(轉置)'로 번역된다. 이는 특정한 대상을 상식의 맥락에서 떼어 내 전혀 다른 상황에 배치함으로써 기이하고 낯선 장면을 연출하는 것을 말한다. 초현실주의 문학의 선구자 로트레아몽의 시에 "재봉틀과 양산이 해부대 (解部臺)에서 만나듯이 아름다운"이라는 표현이 있는데, 바로 이것이 전형적인 데페이즈망의 표현법이다. 해부대 위에 재봉틀과 양산이 놓여 있다는 게 통념에 맞지 않지만, 바로 그 기이함이 시적, 예술적 상상을 낳아 논리와 합리 너머의 세계에 대한 심층의 인식을 일깨운다. 화가 마그리트의 작품 '골콘다'는 푸른 하늘과 집들을 배경으로 검은 옷을 입고 검은 모자를 쓴 남자들이 공중에 떠다니는 모습을 그린 작품이다. 보기에 따라서는 남자들이 비처럼 하늘에서 쏟아지는 느낌을 주기도 한다. 어느 쪽이든 간에 이는 현실에서는 불가능한 상황이다.

데페이즈망은 우리로 하여금 현실로부터 쉽게 일탈해 무한한 자유와 상상의 공간으로 넘어가게 한다. 그런 점에서 데페이즈망은 현실에 대한 일종의 파괴라고 할 수 있다. 현실의 법칙과 논리를 간단히 무장 해제해 버리는 파괴의 형식이다. 파괴의 형식으로서 데페이즈망이 보여주는 파괴는 다채롭고 무한하다.

데페이즈망의 기법 중 작은 것을 크게 확대함으로써 일상을 파괴하고 새로운 모험에 나서는 이런 데페이즈망적 시도는 예술을 넘어 경제 분야에서도 곧잘 볼 수 있다. 이를테면 화장지 사업에 집중한 미국의 한 제지 회사의 시도가 그런 것이다. 이 회사의 가장 큰 수익원은 원래 제지 사업이었다. 화장지 같은 위생용품은 원래 매출에서 극히 미미한 부분을 차지하고 있었다. 하지만 1971년 이 회사의 대표는 아직은 미미한 화장지 산업에 회사의 장래가 있다고 보고 이에 집중하기 위해 핵심 사업 부문들을 과감히 처분해 버렸다. 이 파괴에 놀라 주가가 급락하고 증시 분석가들의 비난이 쏟아졌다. 그러나 이 회사의 '작은 것을 크게 확대하기'는 결국 큰 성공을 거두었다. 파괴의 형식은 이렇듯 창조의 형식인 것이다.

휴대용 전화기에 컴퓨터 기능을 더한 스마트폰이나 서커스에 음악, 무용, 미술과 같은 예술을 결합한 공연 등 각종 융합 상품에서 우리는 '보완적인 사물을 조합하기' 혹은 '익숙한 것을 낯설게 만드는 합성'과 같은 데페이즈망적인 결합과 합성의 산업적 성취를 본다. 그런 점에서 기이하고 낯선 장면을 연출하는 데페이즈망은 우리의 일상에서 더는 기이하고 낯설기만 한 문화 현상이 아니다. 데페이즈망은 문화 예술과 산업의 경계를 넘어 중요한 창조의 수단으로 우리의 일상에 활력을 불어넣고 있다.

* 해부대: 해부할 때 그 대상물을 올려놓는 대

(다)

우리가 재미있어하는 일에는 대부분 경쟁이라는 요소가 들어 있다. 우리가 어려서부터 해 온 놀이와 오락도 경쟁을 할 때 더 재미가 있었다. 그것은 경쟁이 인간의 본능이기 때문이다. 역사학자 요한 하우징아는 이러한 인간의 경쟁 본능을 '호모 루덴스'라는 말로 표현한다. 그는 놀이하는 것이 인간이 하는 행위의 가장 큰 특성이며, 이 놀이하는 인간의 특성은 경쟁 본능과 밀접하게 연결되어 있다고 말한다. 인간에게는 이기고 싶은 욕구가 있는데, 이것은 다른 사람을 능가하여 최고가 되고, 이를 인정받고 싶은 심리를 기반으로 한다. 결국 인간은 바로 자신의 경쟁 본능을 충족하기 위해 놀이하는 존재가 되었다는 주장이다.

경제학자 애덤 스미스는 자본주의 경제 원리의 토대를 만들었는데, 그는 인간의 이기심이 사회를 발전시킨다는 신념을 바탕으로 자유 경쟁의 원리를 주장했다. 그는 인간이 타인에 대한 동정심보다 자신에 대해 애정이 앞서는 존재이며, 이러한 인간의 타고난 이기심을 인정하고 효과적으로 활용하면 개인과 사회를 모두 발전시킬 수 있다고 믿었다. 즉, 인간의 이기심을 통제하기보다 오히려 경쟁을 통해 인간의 이기심을 잘 활용하는 것이 개인의 행복과 사회 전체의 이익을 동시에 달성하는 길이라는 것이다.

자본주의 경제는 이러한 경쟁 논리를 바탕으로 발전해 왔다. 점점 더 좋은 물건을 원하는 사람들의 욕망, 그리고 이를 만족시키려는 기업들 간의 자유 경쟁은 기술을 발전시키고 생산성을 높이는 데 크게 기여했다. 이러한 경험을 통해 오늘날 자유 경쟁의 원리는 일반화되었고, 자유 경쟁의 원리를 따르는 자본주의 경제도 그 가치를 인정받고 있다.

그럼에도 불구하고 경쟁 그 자체를 부정하거나 경쟁 논리라면 무조건 반대하는 사람들이 있다. 이들은 경쟁이 서로를 적대시하게 만들어 인간관계를 해친다고 비판한다. 효율성과 적자생존의 법칙을 앞세운 경쟁 논리는 경쟁에서 탈락한 사람들은 도외시한 채, 결국 강자의 이익만을 대변한다는 것이다. 그러나 이는 경쟁에 대한 오해이다. 경쟁에는 이미 협력의 뜻이 담겨 있다. 진정한 의미에서 공정한 경쟁을 하기 위해서라도 협력은 필수이다. 경쟁은 경쟁자를 부정하고 배제하는 것이 아니라, 서로를 인정하고 그 바탕 위에서 각자의 의욕과 노력을 한층 더 이끌어 내는 긍정적 상호작용이라고 할 수 있다.

요즘 사회를 가리켜 유독 '경쟁 사회'라 부르며, ⓒ **승자와 패자를 가혹하게 가르는 약육강식의 비정함**을 비난하는 사람들이 있다. 하지만 잘 생각해 보면, 동서고금을 막론하고 인간 사회가 경쟁 사회가 아니었던 적은 찾아보기 어렵다. 인류는 처음부터 지금껏 각자의 이익을 위해 항상 경쟁해 왔다. 그 과정에서 운동 경기에서처럼 공정한 경쟁 조건과 규칙을 함께 발전시켜 왔다. 경쟁 상대가 승복할 수 없는, 부정하거나 불공정한 경쟁으로는 지속적인 경쟁이 불가능함을 잘 알고 있기 때문이다. 우리 사회에서 앞으로도 경쟁은 계속될 것이다. 따라서 앞으로의 과제는 경쟁할 것인가 말 것인가를 선택하는 것이 아니라, 공정한 경쟁을 추구하기 위한 방식에 대한 고민을 함께하는 것이다.

(라)
유교 사상을 창시한 공자는 당시의 혼란한 사회 현실을 개선함으로써 이루어질 이상 사회의 모습을 다음과 같이 제시하였다.

"큰 도가 행해지는 천하는 공공의 것이다. 어질고 능한 인물을 선택하여 천하를 다스리게 하고 신의를 가르치며 화목하게 지낸다. 사람들은 홀로 자기의 어버이만을 어버이로 섬기지 않고, 자기의 자식만을 자식으로 사랑하지 않는다. 노인은 여생을 잘 마칠 수 있으며, 젊은이는 쓰일 곳이 있으며, 어린이는 잘 성장할 수 있고, 홀아비와 과부와 고아와 자식 없는 늙은이와 질병에 걸린 사람들은 모두 부양을 받을 수 있다. 간사한 모의나 절도, 도적이 생기지 않아 바깥문을 닫는 일이 없다."

공자가 제시한 대동 사회는 이상적인 성인이 나라를 다스리고, 모든 사회 구성원이 가족과 같이 친밀한 관계를 맺으며, 누구나 인간다운 생활을 영위하며 도덕과 복지가 실현된 사회이다. 한편, 16세기 사상가 모어는 당시 영국의 현실과 대비되는 이상 사회를 유토피아로 소개하였다.

"유토피아에서 덕 있는 사람이 보상을 받으면서도, 모든 것을 평등하게 나누어 가지며 누구나 풍족하게 산다… 그래서 나는 사유 재산제가 완전히 폐지되지 않는 한 재화의 공정한 분배는 이루어질 수 없고, 사람들의 생업 또한 행복하게 이루어질 수 없다고 확신한다."

모어가 추구한 이상 사회는 생산과 소유의 평등이 실현되고 경제적으로 풍요로우며 도덕적으로 타락하지 않은 사회이다. 동서양의 이상 사회론은 정의로운 사회의 모습을 담고 있다. 정의로운 사회는 모든 개인이 부당한 차별을 받지 않고 공정한 삶의 기회를 누릴 수 있는 사회이다. 또 어떤 특정한 개인이나 계층에게 사회적 혜택이 독점되지 않는 사회이다. 이러한 사회에서는 누구나 자신의 노력에 합당한 대우와 공정한 분배를 받을 수 있다.

동서양의 이상 사회론은 인간이 존엄과 품위를 유지하면서 살아갈 수 있는 사회상을 제시한다. 오늘날 우리는 과학의 발전과 자본주의의 발달로 물질적 풍요를 누리며 편리하게 살아가고 있다. 하지만 동시에 그로부터 발생한 물질 만능주의와 비인간화 현상을 겪고 있다. 물질에 대한 집착이 인간의 존엄성마저 훼손하는 상황에 이른 것이다. 우리는 인간의 존엄성을 무엇보다도 중시하는 이상 사회론을 탐구함으로써, 물질적 풍요를 누리면서도 사람들의 인격과 가치가 존중되는 인간다운 사회를 꿈꿀 수 있다.

우리는 이상 사회론을 통해 개인과 공동체의 조화로운 관계를 탐구할 수 있다. 오늘날 우리 사회의 문제 중 하나는 개인의 이익과 권리만을 지나치게 추구하는 이기주의 풍토이다. 반면에 이상 사회는 개인과 공동체의 조화를 바탕으로, 사람들이 행복을 추구할 수 있는 여건을 제공하는 사회이다. 그러므로 우리는 이상 사회론을 통해 현대 사회의 이기주의 풍토를 극복하고, 더불어 살아가는 자세를 배울 수 있다.

(마)

조선 시대의 최고 과학자 장영실은 오늘날까지 존경받는 위인으로 손꼽힌다. 동래현 관노에서 종3품까지 오른 장영실이지만 이후의 행적에 대해 알려진 것은 많지 않다.

장영실에 대한 마지막 기록은 의외로 처벌에 관한 것이다. 새로 만든 세종의 가마가 시험 운행 중 부서지자 장영실이 책임을 지게 된 것이다. '세종실록'에서는 장영실이 곤장 80대를 맞고 파면됐다고 기록되어 있다. 그 후의 행적은 찾아볼 수 없다.

장영실이 파면된 해에서 약 600년이 지나 4차 산업 혁명이 화두가 되고 있는 지금까지도 우리 사회는 실패를 허하지 않는 분위기이다. ⓒ **실패를 용납하지 않는 문화**는 국가의 발전과 성장에 걸림돌이 된다. 혁신은 수많은 시행착오를 바탕으로 이루어지는데 시도 자체를 원천 봉쇄한 셈이기 때문이다. 지난해 국가 연구 개발 성공률은 96퍼센트라고 한다. 얼핏 좋게 들릴 수 있지만 실상은 매우 좋지 않은 신호이다. 정작 사업화 성공률은 20퍼센트에 그쳐 70퍼센트에 근접한 미국이나 영국과 비교했을 때 턱없이 낮은 수준이기 때문이다. 연구 가치나 사업화 가능성에 대한 고민보다 성공 가능성이 높고 안전한 목표만을 추구하는 것은 아닌지 돌아볼 대목이다. 도전하라고 하면서 실패했을 때 책임을 묻는다면 혁신을 위한 도전에 나서는 이는 아무도 없을 것이다.

이제 우리도 바뀌어야 한다. 4차 산업 혁명 시대를 눈앞에 둔 지금 우리는 '따라가는 사람(fast follower)'이 아니라 '선도자(first mover)'로 국제 사회와 경쟁해야 한다. 지금까지 경험하지 못한 새로운 분야에 남보다 먼저 뛰어들지 않으면 안 된다. 위험을 무릅쓴 도전을 존중해야 한다. 실패를 딛고 일어설 수 있는 체계를 만들어야 한다. 실패로 얻은 기술과 경험을 자산으로 만들 수 있다면 더할 나위 없다. 미국 실리콘 밸리의 사업 성공률은 10퍼센트에 불과하다. 그럼에도 세계를 선도하는 최고 혁신 기업 대부분이 실리콘 밸리에서 태어난 것은 실패를 허하는 문화에서 비롯되었다.

[문제 2] ㉠을 (나)를 활용하여 설명하고, ㉡을 (다)를 활용하여 설명한 후, ㉢의 시각으로 (라)와 (마)를 정리해 서술하시오. (50점, 750±50자).

(가)

　우리가 흔히 대중문화라고 부르는 현상은 대중 사회에서 대중 매체에 의해 형성된 문화를 지칭하는 때가 많다. 영어로 ㉠ **'매스 컬처(mass culture)'**에 해당하는 대중문화의 개념이 이것이다. 여기서 대중(mass)이라는 말에는 고립 분산되어 있고 주체성을 가지지 못했으며 비합리적이고 열등한 집단이라는 경멸적인 의미가 담겨 있다. 이처럼 대중문화를 매스 컬처라고 보는 관점은 대중이 출현한 근대 사회 이전의 엘리트 집단의 고급문화와 그 이후 대량 생산된 문화를 구분하여, 고급문화는 수준 높은 뛰어난 문화인 반면 대중문화는 수준 낮은 열등한 문화라는 인식을 기본으로 한다.

　그러나 언제부터인지 매스 컬처라는 개념은 거의 쓰이지 않게 되었다. 경멸적인 대중의 개념 대신 중립적이거나 긍정적인 함의를 지닌 대중성의 개념을 써서 ㉡ **'파퓰러 컬처(popular culture)'**라는 용어를 보편적으로 사용한다. 파퓰러 컬처라고 보는 관점에서의 대중문화는 '열등한' 다수가 아닌 '다양한' 다수가 누리는 문화로서 사회의 모든 문화를 그 개념에 포함하는데, 고급문화 역시 대중문화의 일부분으로 포함된다. 따라서 일반적인 의미에서 대중문화의 개념은 파퓰러 컬처로서의 대중문화, 즉 다수의 사람이 소비·향유하는 다양한 문화라는 관점으로 접근하는 것이 타당하다.

　매스 컬처라고 할 때 대중문화가 주로 문화의 생산과정에 초점을 맞춘 개념이라면, 파퓰러 컬처는 문화의 소비 내지 수용 과정에 초점을 맞춘 개념이라 할 수 있다. 매스 컬처는 대량 복제가 가능한 매중 매체가 등장한 근대 자본주의 이후의 문화 산물로 한정되지만, 파퓰러 컬처는 자본주의 이전 서민 사이에 존재했던 문화까지 포괄하는 개념이 된다. 이처럼 두 개념이 조금 다르기 때문에 대중 매체가 전달하는 내용에 대해서도 무조건적으로 수용할 것이 아니라 정보의 출처를 살피고 ㉢ **같은 사건을 다른 매체는 어떤 시각으로 다루는지 비교해 보는 등 비판적으로 바라보아야 한다.**

(나)

　대중문화는 대중 매체를 통해 대량으로 유통되기 때문에 획일적으로 흐르기 쉽다. 그 결과 개인의 독창성과 개성이 쇠퇴하고 문화적 다양성이 약화될 수 있다. 게다가 문화 상품이기 때문에 상업적 성격을 띠어 선정적이거나 쾌락적인 문화가 유통되기 쉽다. 결국 질 낮은 문화가 판을 치게 되는 것이다. 이런 시각을 지닌 이들이 보기에 영화는 폭력적이고 선정적인 내용을 주로 다루는 질 낮은 매체이다. 다수의 대중들이 원하는 감각적인 내용을 감각적인 스타일로 그려내기 때문에 관객들이 할 수 있는 것은 극장에서 영화를 보는 것 외에는 없다.

　대중음악에 대해서도 같은 비판을 할 수 있다. 가령 프랑크푸르트 학파의 테오도어 아도르노(Theodor W. Adorno)는 「대중 음악에 대하여」라는 에세이에서 대중 음악은 표준화되어 있는데, 그 결과 음악 간에 별다른 차이가 없다고 지적했다. 또 대중음악은 수동적인 음악 감상만 조장한다고 했는데, 그래서 단조로운 자본주의 노동에 시달리던 노동자들의 대중 음악 소비는 일회성에 그치고 말았다고 했다. 마지막으로 대중 음악은 사회적 접착제 역할을 한다고 지적했다. 현실 세계에서 일어나는 억압이나 착취에 대한 사실을 잊게 하거나 쉽게 복종하는 심리적 상태를 만들어 낸다고 했다. 이처럼 아도르노에게 문화 산업이 만들어낸 대중 음악은 열등한 문화일 뿐이었다.

(다)

1960년대 미국에 나타났던 히피 집단은 기존의 주류 문화에 동조하기를 거부하며 자신들만의 공동체를 형성하였다. 이들은 머리를 길게 길렀고 평화를 추구하였으며 물질적 풍요와 편의성보다는 자연과 공존하는 생활 태도를 지향하였다. 그뿐만 아니라 정치적으로 베트남 전쟁 참전을 위한 미국 정부의 군대 징집을 거부하며 정부 정책에 정면으로 도전하였다. 히피 집단의 성격은 그들의 패션에서도 찾아볼 수 있다. 히피 패션의 가장 큰 특징은 형태의 다양성이고 이는 반문화의 형태로 나타났는데, 히피 패션은 모든 요소를 일정한 기준 없이 착용하기 때문에 착용자의 개성에 따라 조화를 이루는 모습을 보였다.

자유와 반전의 상징인 꽃은 직물의 프린트나 액세서리로 주로 사용하였고, 자연스러운 느낌의 손뜨개나 조각천 등을 많이 이용하였다. 인종 차별을 반대하는 의미로 히피 집단은 인디언, 아프가니스탄, 인도의 민족 복식을 차용하였다. 전원풍의 집시 의상이나 주름과 술 장식이 있는 옷, 끝이 풀어진 청바지, 동양풍의 자수와 꽃무늬가 수놓인 셔츠 등이 유행하였다. 또한 그들의 긴 생머리는 기성세대에 반항하는 것을 가장 잘 표현하는 머리 모양으로, 자유분방하게 헝클어진 채로 그냥 두었다. 이렇게 보면 주류 문화를 거부하고 자신들만의 문화를 만들어낸 히피 문화야말로 그들의 생각과 사고를 문화로 보여준 사례라고 할 수 있는데, 이를 통해 문화에서 수용 과정이 중요하다는 것을 알 수 있다.

(라)

대중문화는 학교나 가정만큼 중요한 사회화 제도이기 때문에 어린이나 청소년에게 왜곡된 여성 이미지를 전달하는 (비)교육적 효과를 갖는다. 그래서 여자아이에게는 잘못된 여성의 정체성을 심어 주고, 남자아이에게는 대중 문화가 쏟아내는 잘못된 여성의 이미지를 여성의 본질로 오인하게 한다. 가령 스마트폰 광고에서 남성은 정장 차림에 서류 뭉치를 들고 바쁘게 뛰는 모습인데, 여성은 쇼핑백을 양손 가득 들거나 커피를 나르는 모습이다. 또한 업무적인 내용 외에도 여성은 매니큐어를 바르거나 손에 간식거리를 들고 컴퓨터를 하는 단편적인 영상을 노출하여 성 역할에 관한 고정 관념을 강화한다.

1970년대 미국 여성 잡지에 실린 광고를 분석한 어빙 고프먼(Erving Goffman)은 광고 속 여성이 남성과 다르게 재현되는 것에 주목했다. 수많은 광고에 어김없이 여성 모델이 등장하는데, 그들은 몇 가지 패턴을 갖고 있었다고 분석한다. 대표적인 분석 결과를 들자면, 여성의 손 모습, 여성의 자세, 시선, 얼굴 표정, 여성과 상품과의 관계 등이다. 여성 모델의 손과 남성 모델의 손은 서로 다른 기능을 한다. 남성의 손은 도구를 쥐고, 잡고, 사용한다. 반면 여성의 손은 남성에 의해 만져지거나 스스로 만지는 감각 대상의 역할을 행한다. 일하는 남성과 촉각을 기다리는 여성의 손으로 구분하고 있었다.

(마)

누군가를 만나 과거보다 더 완전한 인간이 되었다는 기쁨을 느끼게 되는 감정, 이 사랑의 감정에서도 성별의 차이가 존재한다. 여성은 사랑의 관계에서 늘 수동적이며 구원을 기다리는 존재로 여겨져 왔다. 하지만 1792년 페미니스트 매리 울스턴크래프트(Mary Wollstonecraft)는 「여성 권리 옹호」에서 이제 여성은 사랑을 기다리는 수동적 객체가 아니라 직접 자신의 개성을 가지고 사랑의 대상을 선택하는 주체로 나서야 한다고 주장한다. 이제 사랑은 단순히 우연이 아니라 개인의 적극적인 선택 문제가 되었다.

그러나 그 선택에 대한 속마음은 남녀에 따라 다르다. 가령 현대 사회의 사랑과 결혼에서 남녀의 성 역할에 대한 기대는 일치하지 않는다. 자본주의 사회에서 남성은 결혼과 동시에 낭만적 감정을 공유하기보다는 일터의 사냥꾼으로 살아야 하는 운명을 지녔다. 그렇기에 결혼하는 순간 남성은 '순결하고 헌신적인 어머니나 누이'의 모습을 여성에게 기대하며 자신에게 헌신해 주기를 요구한다. 이에 반해 여성은 결혼 후에도 드라마 속 주인공처럼 깜짝 행사와 사랑스러운 체험을 하게 해 줄 남성을 꿈꾼다. 현대 사회에서 사랑과 결혼은 동상이몽의 현장이 되는 것이다.

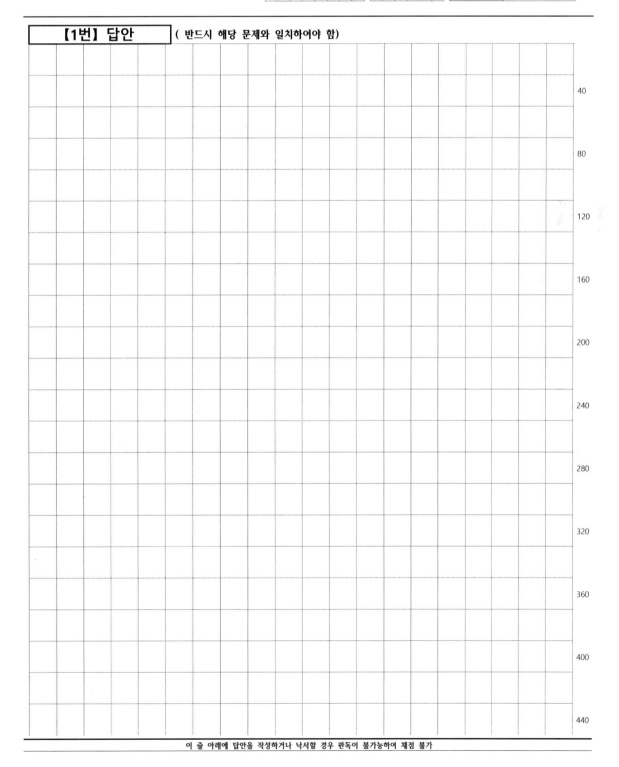

인 문 계 열

성 명

【1번】 답안 (반드시 해당 문제와 일치하여야 함)

40

80

120

160

200

240

280

320

360

400

440

이 줄 아래에 답안을 작성하거나 낙서할 경우 판독이 불가능하여 채점 불가

																	480
																	520
																	560
																	600
																	640
																	680
																	720
																	760
																	800

【2번】 답안   (반드시 해당 문제와 일치하여야 함)

																40
																80
																120
																160
																200
																240
																280
																320
																360
																400
																440

480

520

560

600

640

680

720

760

800

2. 2024학년도 광운대 수시 논술 1

[문제 1] ㉠의 원인을 (나)를 참고해 서술하고, (나)와 대비되는 (다), (라)의 세계관을 설명한 뒤, 이와 가장 가까운 ㉡을 (마)에서 하나 골라 논술하시오. (50점, 750±50자)

(가)

18세기 후반에 일어난 산업 혁명은 세상을 바꾸어 놓았다. 과학에 바탕을 둔 공업이 발달하면서 원료 자원이 풍부한 곳에 도시가 발전하였고, 일자리를 얻기 위해 사람들이 도시로 몰려들었다. 이러한 산업화와 도시화가 가속화되면서 인구가 100만 명이 넘는 대도시가 나타났다. 산업화와 도시화로 생활은 풍요롭고 편리해졌지만 다양한 문제가 발생하기도 했다. 도시의 녹지 공간이 감소하고 환경이 오염되면서 생태 환경의 변화가 일어난 것이다. 도시의 지표는 콘크리트나 아스팔트로 포장되어 있어 빗물을 흡수하지 못하므로 홍수가 발생하기 쉽고, 냉난방 시설과 자동차 등에서 나오는 인공 열 때문에 도심의 기온이 주변 지역보다 높은 열섬 현상이 나타난다.

시야를 더 넓히면, 현재 인류가 겪고 있는 ㉠ **환경 문제**도 결국 산업화와 도시화가 원인이라고 할 수 있다. 환경 문제 가운데 가장 심각한 지구 온난화는 지구의 평균 기온이 지속적으로 상승하는 현상을 말한다. 지구 온난화는 대기 중 온실가스가 증가하면서 나타나는데, 인간이 배출하는 이산화탄소가 주요 원인이다. 지구 온난화는 동식물의 생장 환경에 영향을 주어 생물종의 다양성을 저해하고, 이는 식량 부족과 질병 증가로 이어질 수 있다. 그 밖에도 인류의 일상을 위협하는 기상 이변을 빈번하게 한다는 점에서 위협적이다. 이제 환경 문제가 인류에게 닥친 가장 큰 문제라는 것에는 대부분 동의하는 편이지만 해결은 쉽지 않다.

획일적인 발전만 추구하는 전 지구적 자본주의 체제는 자정하는 기능을 지니기 힘들다. 산업화 이후 지구의 인구는 급격하게 증가했고, 그만큼 자연은 파괴되었다. 자연이 파괴되는 속도와 비례해 화석 연료를 많이 사용하면서 산소 생산량은 줄어들고 탄소 배출량이 많아져 환경 문제는 그만큼 심각해졌다. 게다가 인구가 많아질수록 그들을 먹여 살리기 위해 더 많은 공장을 가동하게 되면서 환경 오염은 가속화되었다. 이처럼 무한한 욕망을 추구하며 환경을 파괴하는 자본주의는 멈출 줄 모르는 폭주 기관차와 같다. 과연 이 ㉡ **폭주 기관차를 멈출 방법**은 있는가? 호모 사피엔스의 운명은 여기에 달렸다.

(나)

자연과 인간의 관계에 대한 서양적 사고의 원형을 잘 보여주는 것은 구약 성서의 첫머리에서 천지 창조의 과정을 서술한 부분이다. 「창세기」에 따르면 신은 인간뿐 아니라 모든 만물을 창조하였다. 그런데 그 과정에서 다른 피조물과는 달리 인간만은 '신의 형상'대로 창조하였는데, 이에 인간은 신의 영광을 반영할 수 있는 유일한 존재가 되었다. 이제 신의 형상을 한 인간은 천지의 주체가 되었고, 자연은 인간이 명명하고 지배할 수 있는 객체가 되었다. 이처럼 인간과 자연은 동등한 관계가 아니라 수직적 관계로 형성된 것이다. 주체인 인간은 신의 의지에 맞게 객체이자 대상인 자연을 지배하고 정복해야 했다. 그렇게 해야만 살아남을 수 있게 창조되었다고 믿었다.

인간이나 자연은 똑같이 신이 창조하였지만, 자연은 인간을 위해 창조된 존재에 지나지 않는다. 따라서 세계 밖에는 그 세계를 창조하고 주재하는 신이 존재하고, 세계 안에 담긴 자연은 인간이 철저히 이용할 대상이거나 인간이 극복해야 할 대상으로 그려져 있다. 물론 자연도 신이 창조한 것이기에 자연을 통해 신의 오묘한 섭리를 깨달아야 할 때도 있지만, 그런 상황에서도 자연은 인간이 파악해야 할 대상에 지나지 않는다. 그렇기 때문에 자연 그 자체로는 완전하지 못하고, 그 부족한 부분을 채워서 완전하게 만드는 역할이 인간에게 맡겨진 것이다. 이런 점으로 볼 때, 서양에서 말하는 자연은 완전한 존재가 아니다.

(다)
산수 간(山水間) 바회 아래 뛰집을 짓노라 하니
그 모론 놈들은 욷는다 한다마는
어리고 햐암의 뜻의는 내 분(分)인가 하노라

보리밥 픗나물을 알마초 머근 후(後)에
바횟 긋 믉가의 슬카지 노니노라
그 나믄 녀나믄 일이야 부룰 줄이 이시랴

누고셔 삼공(三公)도곤 낫다 하더니 만승(萬乘)이 이만하랴
이제로 헤어든 소부(巢父) 허유(許由)ㅣ 냑돗더라
아마도 임천한흥(林泉閑興)을 비길 곳이 업세라

* 햐암 : 향암(鄕闇). 시골에서 지내 온갖 사리에 어둡고 어리석은 사람.
* 만승 : 만 대의 병거(兵車)라는 뜻으로, 천자 또는 천자의 자리를 이르는 말.
* 소부 허유 : 고대 중국의 인물들로, 속세에 나서지 않고 자연을 벗 삼아 즐기며 삶.
* 냑돗더라 : 영리하더라. 약았더라.
* 임천한흥 : 자연 속에서 느끼는 한가한 흥취.

(라)
松間細路(송간세로)에 杜鵑花(두견화)를 부치 들고 (솔숲 오솔길에 진달래 부여잡고)
峯頭(봉두)에 급피 올나 구름 소긔 안자 보니 (봉우리에 급히 올라 구름 속에 앉아 보니)
千村萬落(천촌만락)이 곳곳이 버려 잇네 (수많은 집들이 곳곳이 벌여 있네.)
煙霞日輝(연하일휘)는 錦繡(금수)를 재펏는 듯 (연하일휘는 비단을 펼친 듯,)
엊그제 검은 들이 봄빗도 有餘(유여)흘샤 (엊그제 검던 들이 봄빛도 넘치는도다.)
功名(공명)도 날 꺼리고 富貴(부귀)도 날 꺼리니 (공명도 날 꺼리고 부귀도 날 꺼리니)
淸風明月(청풍명월) 外(외)예 엇던 벗이 잇 올고 (청풍명월 외에 어떤 벗이 있으리오.)

箪瓢陋巷(단표누항)에 훗튼 혜음 아니 ㅎ네 (단표누항에 헛된 생각 아니 하네.)
아모타 百年行樂(백년행락)이 이만흔둘 엇지ㅎ리 (아무튼, 한평생 삶이 이만한들 어떠하리.)

* 연하일휘 : 안개와 노을과 빛나는 햇살이라는 뜻으로, 아름다운 자연 경치를 비유적으로 이르는 말.
* 공명 : 공을 세워서 자기의 이름을 널리 드러냄. 또는 그 이름.
* 청풍명월 : 맑은 바람과 밝은 달.
* 단표누항 : 좁고 지저분한 거리에서 먹는 한 그릇의 밥과 한 바가지의 물이라는 뜻으로, 선비의 청빈한 생활을 이르는 말.

(마)

이산화탄소는 사람이 호흡할 때 나오기도 하지만, 공장의 보일러를 돌릴 때나 자동차를 운전할 때도 나온다. 공장이 많아지고 에너지 소비가 늘면서 이산화탄소는 점점 증가하고, 지구는 온실처럼 더워지고 있다. 그래서 남극의 빙산이 녹는 지구 온실 효과가 생겨난 것이다. 연구자들은 이를 해결하기 위해 자연 광합성에 눈을 돌리게 되었다. 광합성은 지구 온난화와 에너지 위기라는 골치 아픈 문제를 동시에 해결할 수 있는 매력적인 반응이기 때문이다.

지구의 모든 에너지는 태양에서 비롯된다. 핵융합 반응이 태양을 모방하는 것이라면, 인공 광합성은 자연 광합성을 모방하는 것이다. 인공 광합성은 태양 에너지를 이용하려는 세 가지 방안 가운데 하나이다. 그렇다면 태양 에너지를 이용하여 에너지를 얻는 세 가지 방안에는 어떤 것이 있을까?

첫 번째는 태양열을 전기로 바꾸는 태양 전지 장치이다. 지붕 위나 햇볕이 강한 사막 등에서 흔히 볼 수 있는 태양 전지판이 그 대표적인 예이다. 두 번째는 태양 에너지를 광촉매로 이용해 물을 분해하여 산소와 수소로 변환시킨 뒤, 수소를 사용하는 연료 전지를 이용한 방법으로 전기를 발생시키는 것이다. 세 번째는 태양 에너지를 광촉매로 이용해 물을 분해하는 과정은 두 번째와 같지만, 그것에서 발생한 전자를 고에너지 물질에 저장한 뒤 이를 사용해 메탄올과 같은 기초 화학 원료를 만드는 것이다. 이 반응이 자연 광합성과 가장 유사하다.

인공 광합성은 그 이름에서 알 수 있는 것처럼 자연 현상인 광합성을 활용해 에너지를 얻는 방법이다. 자연을 해치지 않고 그 원리를 이용해 에너지를 얻기 때문에 다른 방법에 비해 상대적으로 자연 친화적이라고 할 수 있다. 모든 식물은 나름의 생존 이유가 있다. 유전 공학을 이용해 그들을 강제로 변화시키는 것은 여러 가지 문제를 일으킬 수 있으므로, 식물의 원리를 정확히 파악해 인공적으로 광합성을 할 방법을 찾아야 한다. 앞으로 자연 광합성을 모방한 인공 광합성은 인간이 도전할 만한 가장 높은 수준의 기술이자, 지구를 살리는 궁극적인 해결책이 될 것이다.

[문제 2] ⑦의 원인을 (나)를 활용하여 서술하고, ⓒ의 이유를 (가)와 (라)를 활용하여 기술한 뒤, ⓒ을 (다)의 정보 유형의 차이를 고려하여 설명하시오. (50점, 750±50자)

(가)

서로의 생각이나 느낌을 주고받으려면 이를 위한 수단이 필요하다. 예를 들어 길에서 만난 친구에게 "안녕?"이라는 인사를 건네기 위해서는 음성이 필요하고, 멀리 떨어져 사는 친구에게 안부를 전하기 위해서는 휴대 전화가 필요하다. 이처럼 생각이나 정서, 다양한 정보와 지식 등을 전달하고 공유하는 수단 혹은 경로를 매체(미디어)라고 한다.

기술적 측면에서 매체는 크게 두 가지 방향으로 발전해 왔다. 첫째는 '시·공간적 제약의 극복'으로, 다른 사람들과 얼굴을 맞대거나 같은 시간에 머무르지 않더라도 정보나 지식, 생각이나 정서 등을 나눌 수 있는 방향으로 발전해 왔다. 이런 변화는 전달되는 내용을 더 먼 곳으로 더 오랜 시간의 간격을 넘어 전달하므로 매체의 영향력을 높인다. 둘째는 '이용의 편이성 향상'으로, 이용을 위한 교육 시간과 비용을 줄이는 방향으로 변화해 왔다. 이는 더 많은 사람이 더 다양하게 더 자주 매체를 이용하게 한다.

디지털 기술 기반 매체인 컴퓨터, 인터넷, 이동 통신 기기, 소셜미디어에서는 정보의 생산과 수용에 필요한 지식수준이 낮다. 누구나 쉽게 원하는 지식과 정보를 얻거나 나눌 수 있고, 받은 정보에 대한 반응을 전달하고 공유할 수 있게 되었다. 직접 콘텐츠를 생산하게 되면서 때로는 수용자로서 때로는 생산자로서 일상적으로 다른 사람과 장소에 구애받지 않고 의사소통할 수 있게 되었다. 더 많은 사람이 정보와 콘텐츠를 더 빨리 생산하고 전달하기 때문에 개인이 접하는 정보와 콘텐츠의 양은 크게 늘었다. 또한 콘텐츠의 종류도 다양해지고 품질 수준의 폭도 넓어졌다. 좋은 콘텐츠도 늘고 나쁜 콘텐츠도 늘어난 것이다.

나쁜 콘텐츠 중에서 ⑦ **디지털 매체 환경에서 특히 많이 늘어난 것이 가짜 뉴스**다. 가짜 뉴스란 기사 형태를 지니지만 조작된 내용 또는 허위 사실로 이루어져 인터넷 등을 통해 유포되는 것을 말한다. 이러한 가짜 뉴스는 그 사실 여부에 대한 검증 없이 각종 SNS(누리 소통망 서비스)와 유튜브 등의 소셜미디어를 통해 급속도로 퍼지면서 문제를 낳는다. 매체를 통해 얻는 정보가 거짓이라면 이 정보를 통해서 얻을 지식은 없다. 또한 이런 정보를 근거로 의사를 결정한다면 그 판단은 잘못될 경우가 많다.

(나)

흔히 대중매체라고 불리는 신문사와 방송국에서는 권위 있는 전문가가 대규모의 조직을 바탕으로 일정한 시간 간격을 두고 콘텐츠를 생산한다. 기자와 방송 피디(PD)는 전문가가 되기 위해 정보 탐색과 수집 방법, 기사 작성법, 영상 제작법 등의 교육을 이수해야 하고 이 과정을 거친 이후에 비로소 콘텐츠를 생산할 수 있다.

이에 비해 인터넷, SNS와 유튜브 등의 소셜미디어처럼 디지털 기술에 기반을 둔 매체에서는 별도의 교육 이수나 자격증이 필요치 않으므로 누구나 콘텐츠를 생산할 수 있다. 그리고 생산자와 소비자는 비교적 수평적인 관계를 바탕으로 콘텐츠와 의견을 주고받으며 활발하게 상호작용할 수 있다.

콘텐츠의 수집·전달 속도가 빨라 이용자들은 정보를 발견하는 동시에 취합·공개할 수 있다. 이런 매체 환경은 질 낮은 콘텐츠의 생산과 유통을 쉽게 한다. 질 낮은 콘텐츠는 다른 사람의 정보나 작품 등을 허락 없이 복제한 것, 근거 없는 비방이나 욕설을 포함한 것, 허위와 확인되지 않은 사실 등이다. 질 낮은 콘텐츠의 생산과 유통은 다양한 피해를 낳는데 타인의 권리 침해, 감정 훼손, 합리적 판단 방해가 대표적이다.

(다)

정치는 사회의 희소 자원을 배분하는 원칙을 세워 개인과 집단, 국가들 사이에서 발생하는 갈등과 대립을 조정하고 해결하는 역할을 한다. 나아가 정치는 사회 구성원들이 인간답고 행복한 삶을 영위하도록 한다. 과거에 정치는 입법부가 법률을 제정하고 행정부가 이를 집행하는 일방적 과정이었으며, 시민의 참여는 제한적이었다. 그러나 오늘날은 시민이 정치 과정에 참여하는 기회와 방법이 크게 늘었다. 정부는 시민의 다양한 의견을 수용하여 시민의 지지를 받을 수 있도록 노력하게 되었고, 시민은 자신의 의견이 정책에 최대한 반영되도록 참여하는 상호작용 과정으로 이해하게 되었다. 따라서 사회 갈등과 문제 해결이라는 정치 목적의 달성 정도가 정부는 물론이고 시민의 의사결정과 행동에 영향을 받는다.

개인이 정치에 참여하는 가장 대표적인 방식은 공직자 선거와 각종 정책 사안에 대한 투표지만, 이는 특정한 시기에만 가능하다. 일상적으로 개인은 여론을 통해 정치에 참여한다. 개인이 여론의 형성과 변화 과정에 영향을 미치는 전통적인 경로는 언론이다. 기자가 작성한 기사에 포함된 인터뷰, 시민 동정, 여론조사 결과, 그리고 독자의 기고와 의견란 등을 통해 개인은 중요한 사회적 쟁점에 대해 자신의 의견을 표명할 수 있다. 또한 언론 보도를 통해 다른 사람의 의견과 여론의 흐름을 알 수 있다. 언론은 다른 사람들이 어떤 생각 혹은 의견을 지녔는지에 관한 정보를 제공한다. 이 외에도 언론은 주변에서 어떤 일이 일어났는지 그리고 누가 무엇을 했는지와 같은 사실에 관한 정보를 제공하여 여론 형성에 영향을 미치기도 한다.

한편, 여론을 통한 개인의 정치참여는 정치권력의 행사나 정부의 정책 결정에 정당성을 부여하고, 때로는 이미 결정되어 시행하고 있는 정책을 수정하게 한다. 여론을 반영한 정치의 결과는 대개 삶의 수준을 개선하고 정부가 시민을 위한 정책을 수립하게 하는 등 긍정적이지만, 때로는 ⓒ <u>**정치 목적 달성에 걸림돌**</u>이 되기도 한다.

(라)

　언론은 개인의 의견을 직·간접적으로 전달하여 의견의 사회적 교류를 가능케 한다. 그리고 언론은 의견의 사회적 교류를 통해 형성된 여론을 정치참여자에게 전달하여 국가 권력이나 기업, 각종 이익 집단에 대한 비판과 견제, 감시 기능을 수행한다. 동시에 언론은 사회에서 일어나는 다양한 사건·사고 및 각종 지식과 정보를 전달하여 국민의 알 권리를 보장함으로써 개인이 의사결정을 내리는 데 영향을 미친다.

　최근에는 여론을 형성하고 여론을 제시하는 언론의 기능이 디지털 매체로 일부 대체되고 있다. 신문과 방송은 이용하지 않으면서 인터넷, SNS와 유튜브 등의 소셜 미디어에서 자기 의견을 드러내고 다른 사람의 의견을 접하거나, 이를 통해 자기 주변에서 무슨 일이 일어나고 있는지를 파악하는 사람이 늘어나고 있다.

　언론과 디지털 매체를 통해 접하는 정보가 항상 객관적이거나 정확한 것은 아니다. 매체마다 추구하는 가치에 들어맞는 사실을 조금 더 강조하여 전달하기도 하고 때로는 정보를 취사선택하여 과장하기도 한다.

　이런 과정을 거친 기사는 특정 방향성을 띨 가능성이 높다. 아래 두 기사를 비교해 보자. 같은 사안을 다루고 있지만, 제공하는 정보가 전혀 다르다. 첫 번째 기사는 친환경 정책이 비용 상승으로 이어진다는 정보를 제공하면서 친환경 정책에 반대하는 논조를 보인다. 두 번째 기사는 정반대로 현재의 원자력 발전 방식이 비용이 더 많이 든다는 정보를 제공하면서 친환경 정책에 찬성하는 논조를 보인다. 어떤 기사를 읽었느냐에 따라 사람들은 현실을 달리 인식하게 되고 그 결과로 다른 의견을 지니게 된다.

> **'탈원전 등 친환경 정책 추진 시 가구당 전기 요금 상승'**
> 탈원전, 탈석탄으로 대표되는 친환경 전력 정책이 본격적으로 추진되면 기존 정책을 유지할 때보다 6조 6,000억 원의 추가 발전 비용이 발생(2030년 기준)할 것으로 분석되었다. 한 경제 연구원이 발표한 보고서에 따르면, 각 가구가 부담해야 하는 월평균 전기 요금 인상분은 2020년 660원, 2025년 2,964원, 2030년 5,572원으로 추정된다. (파이낸셜 뉴스, 2017.8.22.)
>
> **'사회적 갈등·사고 비용 고려 시 발전 단가 최고 7배 껑충'**
> 원자력 발전 찬성론자들이 내세우는 가장 흔한 논리는 '원자력은 가장 저렴한 에너지'라는 것이다. 하지만 일본 후쿠시마 원전 사고 이후 이러한 논리와 명분은 힘을 잃고 있다. 핵폐기물 처리 및 원전 폐로 비용이 증가하고 있기 때문이다. 여기에 사고 위험과 사회적 갈등 등을 포함한 외부 비용까지 고려하면 원전은 값싼 에너지가 아니다. (경향비즈, 2017.8.21.)

　한편, 여론에 영향을 미치는 매체와 정보 생산과 유통에 관여하는 개인이 늘어나면서 정보의 과부하와 저품질 문제가 커지고 있다. 이런 상황에서 개인이 정치 참여를 통해 자신의 이익을 지키고 동시에 사회의 발전에 이바지하기 위해서는 ⓒ **정보의 비판적 수용**이 중요하다. 이 과정에서 정보의 진위와 논리성 그리고 균형성이 고려되어야 한다.

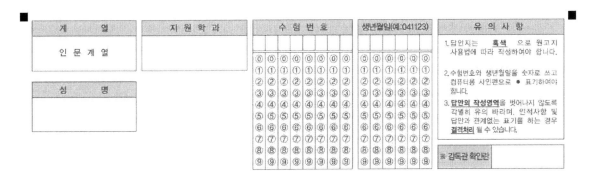

【1번】답안   (반드시 해당 문제와 일치하여야 함)

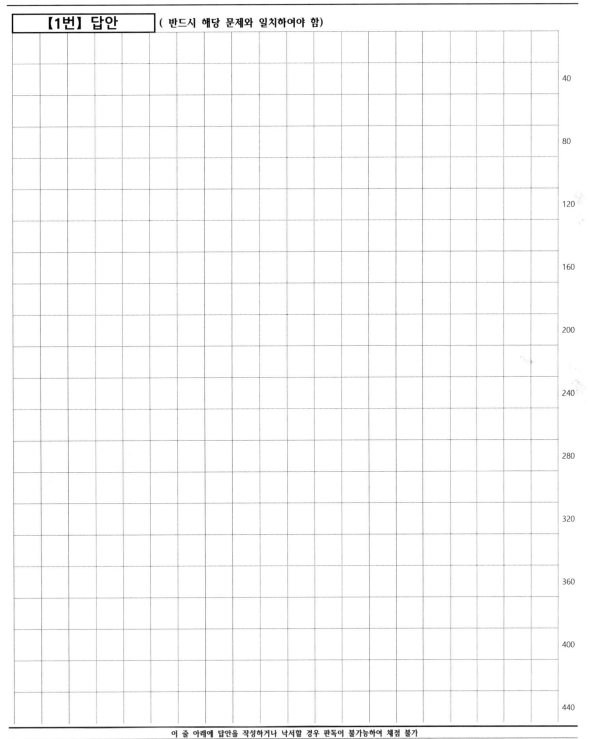

이 줄 아래에 답안을 작성하거나 낙서할 경우 판독이 불가능하여 채점 불가

																		480
																		520
																		560
																		600
																		640
																		680
																		720
																		760
																		800

56

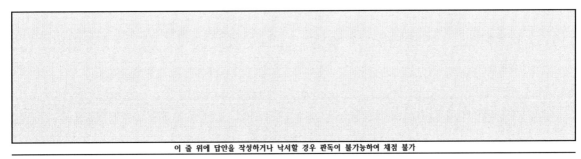

【2번】답안 (반드시 해당 문제와 일치하여야 함)

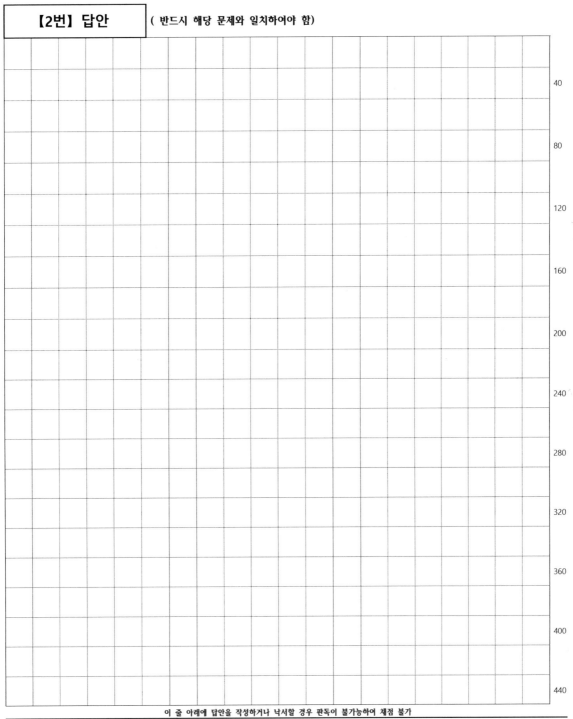

																			480
																			520
																			560
																			600
																			640
																			680
																			720
																			760
																			800

3. 2024학년도 광운대 수시 논술 2

[문제 1] ㉠의 이유를 (나)와 (다)에서 찾아 설명하고, ㉡의 원인을 (라)를 활용하여 서술한 다음, ㉢을 (가)와 (마)를 연관지어 비판하시오. (50점, 750±50자)

(가)

뉴 미디어는 이미 우리의 생활 속으로 깊숙이 들어와 있다. 많은 인쇄 매체가 인터넷 신문, 웹진, 전자책 등으로 대치되었으며, 방송 매체는 인터넷과 연결된 맞춤형 누리 방송과 위성 방송 등으로 진화되었다. 또한 SNS(누리 소통망 서비스), 블로그 등의 사회적 매체와 스마트폰이 정보 전달의 중심 매체가 되었다. 뉴 미디어의 발달로 정보의 공급자와 소비자 간 경계가 허물어졌다. 즉 정보를 소비할 뿐만 아니라 직접 생산하고 유통하는 생산적 소비자의 시대, 또는 1인 미디어 시대가 된 것이다.

1인 미디어란 개인 블로그나 SNS 등을 기반으로 하여 개인이 다양한 콘텐츠를 생산하고 공유하는 의사소통 플랫폼이며, 새로운 형태의 의사소통 메커니즘이다. 스마트 기기가 대중화되면서 개인은 언제 어디서나 정보와 의견, 콘텐츠 등을 활발하게 교류하고 공유할 수 있게 되었다. 이때 개인은 송신자이자 수신자가 되며, 1인 미디어는 매체 채널로서의 기능을 수행한다.

그러나 의사소통 상황에서 우리는 ㉠ **상대방의 말이나 행동을 왜곡하여 자신에게 유리하게 몰아가고 진실을 오도하는 경우**를 볼 수 있다. 이러한 사례는 사람 간의 대화뿐만 아니라 방송, 신문, 인터넷 등의 대중 매체에서도 나타난다.

하버마스는 수많은 의견이 갈등하는 다원주의 사회에서도 대화와 타협, 담론으로 공정하게 판단하고 이상적인 합의에 도달할 수 있다고 말한다. 특히, 하버마스는 담론 상황에서 이상적 대화 상황이 이루어져야 한다고 강조하였다. 이는 누구나 자유롭게 참여하는 대화 상황에서 모든 사람이 옳고 진실한 의견을 제시해야 하며, 대화에 참여한 상대방이 이해할 수 있는 말을 해야 한다는 것이다. 하버마스는 실제 담론 상황이 이러한 이상적 대화 상황에 부합할 때, 합리적으로 의사소통할 수 있으며 갈등을 풀고 화해와 평화로 나아갈 수 있다고 주장하였다. 즉, 갈등하는 의견 간의 합의나 공정한 판단은 어떠한 억압이나 왜곡도 없는 이상적 대화를 통해서만 가능하다고 본 것이다.

(나)

가짜 뉴스는 더 이상 동요나 입소문을 통해 퍼지지 않는다. 누구나 쉽게 이용하는 매체에 '정식 기사'의 얼굴을 하고 나타난다. 감쪽같이 변장한 가짜 뉴스들은 사람들의 입맛에만 맞으면 쉽게 유통 확산된다. 대중이 뉴스를 접하는 경로가 신문, 방송 같은 전통적인 매체에서 인터넷 사이트, SNS 등 디지털 매체 쪽으로 옮겨 가면서 벌어진 일이다. 세계적으로 맹위를 떨치는 정보 통신 기업들은 '디지털 뉴스 중개자'로 부상하는 동시에 가짜 뉴스의 온상지가 됐다. 2016년 미국 대통령 선거 기간 중에 교황이 특정 후보 지지를 선언했다는 가짜 뉴스가 유력 SNS에서 가장 많이 공유된 소식이라는 사실은 이를 잘 보여준다.

그런데 2016년 미국 대선을 흔든 가짜 뉴스의 지리적 진원지는 황당하게도 마케도니아에 위치한 벨레스라는 소도시였다. 심지어 범인은 이 도시에 거주하는 10대 후반 청소년들이었다. 이들은 미국 극우 성향의 엉터리 뉴스 사이트나 SNS의 글을 긁어모아 적절히 짜깁기하고 윤색해 가짜 뉴스를 만들었다. 벨레스의 청소년들이 극우 성향의 뉴스를 생산한 이유는 단순하다. 그들이 정치적으로 특정 후보를 지지해서가 아니다. 그들은 누가 미국 대통령이 되든지 상관하지 않았다. 단지 교황이 누구를 지지하기로 했다거나, 어떤 후보가 테러 단체에 무기를 몰래 판매했다는 식의 가짜 뉴스가 돈이 되었기 때문이다. 시장 논리에 따라 뉴스가 유통되는 과정에서 교황이 피해자로 이름을 올리게 될 것은 고민하지도 않았을 것이다.

도대체 왜 가짜 뉴스가 돈이 되는 것일까? 뉴스와 관련된 돈은 대부분 광고에서 발생한다. 하지만 광고주들이 가짜 뉴스 사이트에 직접 광고하지는 않는다. 모든 광고는 광고 중개 서비스를 통하는데, 광고주가 중개 업체에 돈을 지불하면, 중개 업체는 금액에 따라 광고를 배치한다. 높은 조회 수가 나오는 사이트일수록 높은 금액의 광고를 배치하는 식이다. 뉴스가 범람하는 상황에서 바쁜 현대인들은 선택과 집중을 할 수밖에 없기 때문에 눈길을 끄는 뉴스가 잘 팔리는 뉴스가 된다. 따라서 가짜 뉴스는 어떤 식으로든 눈에 띄어 돈이 되기 위해 자극적인 요소들을 포함하면서 소비자를 치밀하게 속인다. 설령 그 내용이 비윤리적이거나 진실이 아니어도 개의치 않는다. 과정이야 어떻든 이윤만 내면 성공이기 때문이다.

이처럼 가짜 뉴스의 경우 소비자의 관심과 주의가 뉴스를 보고 믿는 기준으로 강력하게 작용하다 보니 ⓒ **잘못된 사실이 진실의 자리를 차지하게 되는 것**이다. 이는 한쪽으로 쏠린 정치 사회 소식이 전체 여론을 호도할 수 있게 함으로써, 개인에게 편견과 고정 관념을 갖게 할 뿐만 아니라 민주주의를 위협할 수 있다.

(다)

역사상 특이한 현상들이 많지만 '마녀사냥'만큼 이해하기 힘든 현상도 드물다. 이 세상에 악마와 내통하는 자들이 있어서 이들이 사회 전체를 위험에 빠뜨리려는 음모를 꾸미고 있으며, 이웃집 여성이 밤에 고양이로 변신해서 관악산의 마녀 모임에 다녀왔다는 혐의를 받는다면 그것을 믿을 수 있을까? 그런데 실제로 유럽에서는 사회 전체를 위협하는 악마적인 세력이 존재한다고 철석같이 믿고 종교 재판소를 설치하여 마녀들을 소탕하는 운동을 벌였다.

마녀 집회 현상에 관해서는 전문 역사가들 사이에서도 아직까지 의견이 일치하지 않는다. 그러나 여러 견해들을 정리해 보면, 어느 한 순간에 마녀, 마녀 집회같은 개념이 만들어진 것은 아니고 오랜 기간을 두고 차츰 정형화되어 갔다. 실제 마녀가 존재할 리는 없으므로 권력 당국이 가공의 개념을 만들어서 어이없는 희생을 강요한 것으로 요약된다. 말하자면 마녀 개념을 만들어서 죄 없는 사람을 잡아다가 고문하여 죄인을 만들고, 그 과정에서 재판관들이 확인했다고 하는 사실들을 바탕으로 다시 더 정교한 마녀 개념을 만들어 가는 악순환이 벌어졌다고 할 수 있다.

마녀사냥은 중세적 배경을 가졌지만 본질적으로 근대적 현상이라는 점에 주목할 필요가 있다. 근대로 들어오면서 일반 민중들은 정치적으로, 종교적으로 큰 에너지를 띠게 되었다. 다스리는 자 입장에서는 이들을 그 상태로 방치해서는 안 되고 질서 체계 안으로 끌어들여야 했다. 질서를 부과한다는 것은, 곧 그것을 거부하는 자들을 억압한다는 것을 뜻한다. 근대의 권력 당국, 곧 국가와 종교는 그들의 권위에서 벗어나려는 자들을 제거하고 모든 국민을 복종시키려 하였다. 국가는 종교로부터 이념을 빌리고 종교는 국가로부터 힘을 얻는다. 권력 당국의 입장에서는 ⓒ <u>**한 국가 안에 있는 모든 사람은 사고마저도 함께 해야 했다.**</u> 모두 같은 종교를 믿어야 했으며, 종교의 신임을 받은 국왕을 잘 따라야 했다. 근대 국가는 '균질한 영혼'들이 국가 기구에 복종하도록 만들어야 했고, 마녀사냥은 결과적으로 국민을 복종하게 하는 역할을 했다.

(라)

1999년 신경 과학 분야의 국제학술지인 『퍼셉션』에 '우리 가운데 있는 고릴라'라는 논문이 실렸다. 당시 하버드대학교 심리학과의 사이먼스와 차브리스는 사람들을 대상으로 흥미로운 실험을 하였다. 그들은 흰 옷과 검은 옷을 입은 학생 여러 명을 두 조로 나누어 같은 조끼리만 이리저리 농구공을 주고받게 하고 그 장면을 동영상으로 찍었다. 그리고 이를 사람들에게 보여 주고 이렇게 주문하였다. "검은 옷을 입은 조는 무시하고 흰 옷을 입은 조의 패스 횟수만 세어 보세요."라고. 동영상은 1분 남짓이었으므로 대부분의 사람들은 어렵지 않게 흰 옷을 입은 조의 패스 횟수를 맞히는 데 성공하였다.

사실 실험의 목적은 따로 있었다. 실험 참가자들에게 보여 준 동영상 중간에는 고릴라 의상을 입은 한 학생이 걸어 나와 가슴을 치고 퇴장하는 장면이 무려 9초에 걸쳐 등장한다. 재미있는 사실은 동영상을 본 사람들 중 절반은 자신이 고릴라를 보았다는 사실을 전혀 인지하지 못했다는 것이다. 나머지 절반은 고릴라를 알아 보고 황당하다는 반응을 보였다. 심지어 고릴라를 인지하지 못한 이들에게 고릴라의 등장 사실을 알려 주고 동영상을 다시 보여 주자, 분명 먼젓번 동영상에서는 고릴라가 등장하지 않았다고 말하는 사람도 있었다. 그러면서 실험자가 자신을 놀리려고 다른 동영상을 보여 준 것이 아니냐는 의심을 하기도 하였다. 도대체 왜 이들은 고릴라를 보지 못한 것일까? 연구자들은 이를 '무주의 맹시'라고 칭했다. 이는 시각이 손상되어 물체를 보지 못하는 것과 달리, 물체를 보면서도 인지하지 못하는 경우를 말한다. 고릴라는 어디에나, 언제나 존재한다. 다만 내가 이를 인지하지 못할 뿐이다.

뇌의 많은 영역이 오로지 시각이라는 감각 하나에 배정되어 있음에도, 세상은 워낙 변화무쌍하기 때문에 눈으로 받아들이는 모든 정보를 뇌가 빠짐없이 처리하기는 어렵다. 그래서 뇌가 선택한 전략은 선택과 집중, 적당한 무시와 엄청난 융통성이다. 우리는 쥐의 꼬리만 봐도 벽 뒤에 숨은 쥐 전체의 모습을 그릴 수 있으며, 빨간색과 파란색의 스펙트럼만 봐도 그 색이 주는 이미지와 의미까지 읽어 낼 수 있다. 하지만 이것은 때와 장소, 현재의 관심과 그 수준에 따라 달라진다. 앞에서 보았듯이 우리는 하나에 집중하면 다른 것은 눈에 빤히 보여도 인식하지 못하고 지나칠 수 있다. 즉 우리는 정말로 보고 싶은 것만 보고 보기 싫은 것에는 눈을 질끈 감는 것이다.

(마)

전체 인류 가운데 단 한 사람이 다른 생각을 가지고 있다고 해서, 그 사람에게 침묵을 강요하는 일은 옳지 못하다. 이것은 어떤 한 사람이 자기와 생각이 다르다고 나머지 사람 전부에게 침묵을 강요하는 일만큼이나 용납될 수 없는 것이다. 침묵을 강요받는 사람이 많고 적음에 따라 이야기는 달라질 수 있다. 그러나 어떤 의견이 본인에게는 의미가 있지만 다른 사람들에게는 아무 의미가 없어서 그 억압이 그저 사적으로 한정된 침해일 뿐이라고 할지라도, 그런 일이 있어서는 안 된다.

어떤 생각을 억압한다는 것이 심각한 문제가 되는 가장 큰 이유는, 그런 행위가 현세대뿐만 아니라 미래의 인류에게까지, 그 의견에 찬성하는 사람은 물론이고 반대하는 사람에게까지 강도질을 하는 것과 같은 악을 저지르는 셈이 되기 때문이다. 만일 그 의견이 옳다면 그러한 행위는 잘못을 드러내고 진리를 찾을 기회를 박탈하는 것이다. 설령 잘못된 것이라 하더라도 그 의견을 억압하는 것은 틀린 의견과 옳은 의견을 대비시킴으로써 진리를 더 생생하고 명확하게 드러낼 수 있는 대단히 소중한 기회를 놓치는 결과를 낳는다. 이런 이유에서 사람들이 자유롭게 자기 의견을 가지고, 또 그 의견을 자유롭게 표현할 수 있지 않으면 안 된다.

[문제 2] ⊙의 발전 과정을 (나)를 바탕으로 서술하고, ⓒ을 (다)의 두 관점으로 설명한 다음, ⓔ에 부합하는 ⓒ을 (마)를 활용하여 설명하시오. (50점, 750±50자)

(가)

‘챗봇’은 ‘채팅’과 ‘로봇’을 결합하여 만든 용어로서, 인공 지능을 기반으로 정해진 규칙에 따라 사용자의 질문에 자동으로 응답하도록 만들어진 프로그램을 말한다. 챗봇은 기본적으로 ‘요청과 응답’ 구조를 따른다. 즉 사용자가 대화방에 특정한 메시지를 입력하면, 챗봇은 사용자가 보낸 메시지 규칙에 따라 메인 서버에 자동 응답을 요청하고, 자연어 처리 과정을 거쳐 적합한 응답을 사용자에게 보낸다.

처음 챗봇이 개발되었을 때에는 단순히 사용자가 입력한 단어를 분석하여 그에 맞는 대답을 단어 형식으로 제공하는 경우가 많았다. 그런데 최근 들어 인공 지능 기술이 발전하면서 실제 사람과 대화를 나누는 것과 같은 방식으로 챗봇이 발전하고 있다. 챗봇에 긴 문장을 입력해도 그 의미를 해석하여 답변 역시 문장으로 제공하는 형태를 띠고 있는 것이다. 단순히 정보를 알려 주는 역할을 넘어서서 친구가 되어 주는 기능을 탑재한 로봇들도 나타났다. 즉 안부나 위로의 말, 재미를 주는 말을 건네는 등 친교적 대화도 수행함으로써 ⊙ **기계와의 소통이 인간과의 대화처럼 느끼게 하는 기술**이 발전하고 있는 것이다.

(나)

인공 지능이란 사람의 경험과 지식을 바탕으로 새로운 문제를 해결하는 능력, 시각과 음성 지각 능력, 자연어 이해 능력, 자율적으로 움직이는 능력 등을 실현하는 기술이며, 인공 지능 연구의 목표는 사람처럼 생각하는 기계를 개발하는 것이다. 여기서 기계란 스스로 학습하고 판단할 수 있는 컴퓨터를 말한다. 학자들은 인간이 지닌 것과 같은 지식을 컴퓨터에 어떻게 넣어 주느냐를 고민하기 시작했다. 그 결과 학자들은 인간 두뇌를 모방하여, 어떤 정보를 기초로 하여 그것을 적시 적소에 활용하는 기능을 최초로 구현한 ‘퍼셉트론’ 프로그램을 개발했다. 입력 단계에서는 퍼셉트론의 각 단위가 여러 가지 입력 정보를 받아들인다. 정보가 입력되면 인지된 데이터나 정보를 적절한 위치에 저장하고 필요에 따라 꺼내 오도록 하며 사용 목적에 따라 정보를 적절히 변형하고 가공한다. 다음 단계는 정보를 분석하고 판단하는 단계이다. 이 단계에서는 일정한 순서와 기준에 따라 정보를 평가하고 다음 단계에서 어떻게 할지 결정한다. 그다음은 창조의 단계이다. 즉, 처리·분석·판단의 과정을 통해 새로운 지식이나 개념을 만들어 내는 것이다. 이를 정리해 출력하는 것이 퍼셉트론의 마지막 단계이다. 각각의 단위가 특정 입력 정보에 부여하는 상대적 중요도를 변화시킴으로써 퍼셉트론은 ‘기계 학습’을 통해 올바른 답을 얻을 수 있다.

퍼셉트론이 기술 혁명을 가져올 것이란 기대와 달리 초창기 퍼셉트론이 학습할 수 있는 정보는 매우 제한적이었다. 그 결과 퍼셉트론은 보통의 컴퓨터나 인간이 쉽게 푸는 기본적인 논리 문제조차 제대로 풀지 못했다. 이러한 문제를 해결하기 위해 기존 퍼셉트론의 입력층과 출력층 사이에 중간층을 늘려나가는 ‘다층 퍼셉트론’이 제안되었다.

일반적으로 기계 학습에 적용된 컴퓨터의 데이터 분류방식은 '지도 학습'과 '비지도 학습'으로 나눈다. 지도 학습은 컴퓨터에 먼저 분류 기준을 입력한 후에 정보를 가르치는 방식이다. 예를 들어, 사진을 주고 "이 사진은 고양이임."이라고 알려주면, 컴퓨터는 미리 학습된 결과를 바탕으로 하여 고양이 사진을 구분한다. 비지도 학습은 분류 기준 없이 정보를 입력하고 컴퓨터가 알아서 분류하게 하는 방식으로, 컴퓨터가 스스로 비슷한 군집을 찾아 데이터를 분류한다. "이 사진은 고양이임."이라는 배움의 과정 없이 "이 사진은 고양이 사진이군."이라고 컴퓨터가 스스로 학습하는 것이다.

기계 학습은 2006년 캐나다의 제프리 힌턴에 의해 전기를 맞이하였다. 힌턴은 다층 퍼셉트론에 사전 훈련, 즉 연산 과정에 여러 층을 두어 컴퓨터 스스로 정보를 잘게 조각내어 작은 판단을 내리게 하는 과정을 통해 효과적으로 학습시킬 수 있다고 하였다. 이와 같이 기존 기계 학습의 한계를 극복한 것을 '심층 학습'이라고 하였다. 힌턴은 기존 퍼셉트론의 학습이 잘 이루어지지 않는 기존의 문제를 해결하기 위해 데이터를 비지도 학습을 통해 '사전 훈련'하는 방법을 사용하였다. 힌턴은 필기체 디지털 이미지를 분류하는 작업에 이 심층 학습을 적용해 다른 기계 학습 방식과 비교했을 때 가장 낮은 오류율을 보여주었다.

심층 학습은 비지도 학습 방법을 사용한 사전 훈련 과정으로 데이터를 손질해 퍼셉트론 최적화를 수행한다. 데이터 가공과 평가부터 학습까지 연산 규칙에 포함한 것이 심층 학습의 특징이다. 심층 학습에 기반한 다층 퍼셉트론으로 높은 수준의 추상화 모델을 구축하는 것이 가능해졌다. 심층 학습은 데이터를 컴퓨터가 처리할 수 있는 형태인 벡터나 그래프 등으로 표현하고 이를 학습하는 모델을 구축하는 연구를 포함한다. 얼굴이나 표정을 인식하는 것과 같은 특정 학습 목표에 대해, 심층 학습은 학습을 위한 더 나은 표현 방법과 효율적인 모델 구축에 초점을 맞춘다. 이러한 심층 학습은 오늘날 다양하게 활용되고 있다. ⓒ **인공 지능이 비약적으로 발전함에 따라 앞으로 사회 각 분야에서 많은 변화**가 생길 것으로 예상된다.

* 사전 훈련: 퍼셉트론의 정보 손실을 최소화하기 위해 비지도 학습형태로 미리 학습을 반복하는 방법

(다)

인공 지능을 바라보는 인간의 인식은 극과 극을 달린다. 한쪽 끝에는 온갖 난제들을 풀고 인류를 구원하는 유토피아가 있고, 다른 한쪽 끝에는 영화 '터미네이터'가 상징하는 디스토피아가 있다.

금융 분석 프로그램 '켄쇼'는 금융 분석가가 40시간 걸릴 일을 몇 분 만에 처리한다. 미국의 컴퓨터 과학자 레이 커즈와일은 2045년쯤에 컴퓨터가 인간 수준의 지능을 갖추는 순간, 스스로 자신을 개조해 지적 능력이 인간을 초월하는 존재가 되는 시기가 도래할 것이라고 한다. 커즈와일은 이 존재가 수명 연장과 재생산 에너지 등 수많은 문제를 해결할 방법을 찾아내 인류의 삶을 윤택하게 할 것이라고 보았다.

인공지능의 발전과 관련해 장밋빛 전망의 반대쪽에는 진지하게 디스토피아의 가능성을 경고하는 사람들도 많다. 먼저 기계가 육체 노동자를 대체했듯이 인공 지능이 지

식 노동자를 대체할 것이라는 우려가 나온다. 세계 경제 포럼(WEF)은 인공 지능과 로봇 과학 등의 영향으로 2030년까지 선진국에서 500만 개의 일자리가 사라질 것이라고 전망했다.

　ⓒ **인공 지능의 성과를 누리면서도 이에 내재된 부작용을 최소화하기 위한 대응 방안**이 필요하다.

(라)

　집에 오래 지탱할 수 없이 퇴락한 행랑채 세 칸이 있어서 나는 부득이 그것을 모두 수리하게 되었다. 이때 그중 두 칸은 비가 샌 지 오래되었는데, 나는 그것을 알고도 어물어물하다가 미처 수리하지 못하였고, 다른 한 칸은 한 번밖에 비를 맞지 않았기 때문에 급히 기와를 갈게 하였다. 그런데 수리하고 보니, 비가 샌 지 오래된 것은 서까래·추녀·기둥·들보가 모두 썩어서 못 쓰게 되었으므로 경비가 많이 들었고, 한 번밖에 비를 맞지 않은 것은 재목들이 모두 완전하여 다시 쓸 수 있었기 때문에 경비가 적게 들었다.

　나는 여기에서 이렇게 생각한다. 사람의 몸도 역시 마찬가지다. 잘못을 알고서도 곧 고치지 않으면 몸이 패망하는 것이 나무가 썩어서 못 쓰게 되는 이상으로 될 것이고, 잘못이 있더라도 고치기를 꺼려하지 않으면 다시 좋은 사람이 되는 것이 집 재목이 다시 쓰일 수 있는 이상으로 될 것이다.

　이뿐만 아니라, 나라의 정사도 이와 마찬가지다. 모든 일에서, 백성에게 심한 해가 될 것을 머뭇거리고 개혁하지 않다가, ⓓ **백성이 못살게 되고 나라가 위태하게 된 뒤에 갑자기 변경하려 하면, 곧 붙잡아 일으키기가 어렵다.** 삼가지 않을 수 있겠는가?

(마)

　오늘날 현대 사회는 과학 기술이 주는 풍요와 편리함이라는 혜택을 누리면서도, 한편으로는 인간을 압도하는 과학 기술의 발달에 대한 두려움 속에서 '좋지만 두려운' 이중적 감정에 빠져있다. 새로운 과학기술의 부정적인 면을 최소화하고 긍정적인 면을 극대화하는 두 가지 접근방식을 생각해 볼 수 있다.

　첫째, 새로운 과학 기술에 대한 정책 결정이 이루어지기 전에 우리 생활에 미칠 수 있는 영향을 살펴보고, 법과 제도를 사전에 정비하는 방식이다. 대표적인 제도로 기술 영향 평가가 있다. 기술 영향 평가는 새로운 과학 기술의 발전이 국민 생활에 미치는 영향을 미리 평가하고, 그 결과를 정책에 반영함으로써 기술의 바람직한 발전 방향을 모색하기 위해 정부에서 매년 실시하는 제도이다.

　기술 영향 평가는 다음의 절차에 따라 진행된다. 우선, 기술 선정 위원회에서 전문가들이 파급효과가 큰 기술을 선정한 후 이에 대한 기술 영향 평가 회의를 실시하고, 시민포럼 등을 통해 의견을 수렴한다. 다음으로 기술 영향 평가 결과 초안에 대해 관계부처의 의견을 수렴하고, 공개 토론회를 개최하여 최종적으로 기술이 국민 생활에 미치는 영향을 평가하여 기술의 적용 여부, 적용 범위를 결정한다.

둘째, 새로운 과학 기술의 적용을 우선적으로 허용한 후 발생한 문제에 사후적으로 대처하는 방식이 있다. 대표적인 제도로 손해배상제도가 있다. 일반적으로 불법 행위가 성립하면 과실 책임의 원칙에 따라 가해자는 피해자에게 그 손해를 배상해야 한다. 손해배상은 위법한 행위로 발생한 손해를 금전으로 보전해주는 것이다.

　2016년 2월 미국 캘리포니아주 ○○시에 있는 A사 본사에서 시험 주행 중이던 무인 자동차가 시내버스와 가벼운 접촉사고를 내는 '인공지능(AI)의 실수'가 벌어졌다. A사는 이 사고와 관련해 "우리에게 일부 책임이 있는 것은 명확하다."라며 과실을 인정했다. 무인 자동차는 버스가 속도를 줄이거나 길을 양보할 것으로 판단하였지만, 버스가 예상대로 움직이지 않아 발생한 사고이기 때문이다. 손해배상제도에 따라 운전자가 없는 무인 자동차의 경우 무인 자동차를 만든 회사가 제조물의 하자에 따른 책임을 져야 한다. 이러한 손해배상제도와 같은 사후적 방식은 기술 개발자에게 자율성을 부여하면서 동시에 기술의 부정적 영향에 대한 책임도 지우는 효과를 갖는다.

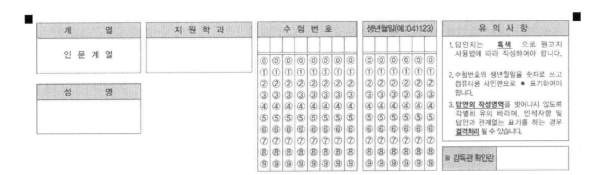

【1번】 답안   (반드시 해당 문제와 일치하여야 함)

40

80

120

160

200

240

280

320

360

400

440

이 줄 아래에 답안을 작성하거나 낙서할 경우 판독이 불가능하여 채점 불가

																480
																520
																560
																600
																640
																680
																720
																760
																800

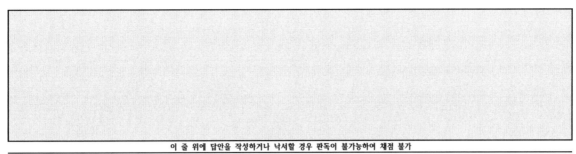

【2번】답안 (반드시 해당 문제와 일치하여야 함)

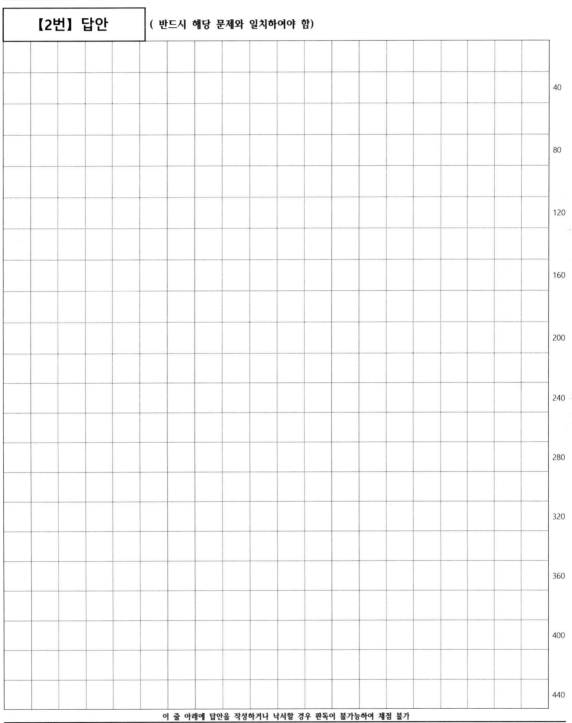

																480
																520
																560
																600
																640
																680
																720
																760
																800

4. 2024학년도 광운대 모의 논술

[문제 1] ㉠을 (가)와 (나)의 관점으로 설명하고, ㉡의 근거를 (다)에서 찾아서 술한 다음, ㉢의 이유를 (라)를 활용하여 논술하시오. (50점, 750±50자).

(가)

한번은 가시 박힌 자리가 성이 나 손이 퉁퉁 부었던 적이 있다. 벌겋게 부어 오른 상처를 보면서 나는 생각했다. 왜 탱자나무에는 가시가 있을까. 그 가시들에는 아마 독이 들어 있을 거라고 혼자 멋대로 단정해 버리기도 했다.

얼마 후에 아버지는 내게 가르쳐 주셨다. 가시에 독이 있는 것이 아니고, 그저 아름다운 꽃과 열매를 지키기 위해 그런 나무들에는 가시가 있는 거라고. 다른 나무들은 가시 대신 냄새가 지독한 것도 있고, 나뭇잎이 아주 써서 먹을 수 없거나 열매에 독성이 있는 것도 있고, 모습이 아주 흉하게 생긴 것도 있고… 이렇게 살아있는 생명들에게는 자기를 지킬 수 있는 힘이 하나씩 주어져 있다고.

그러던 어느 날 탱자 꽃잎을 보다가 스스로의 가시에 찔린 흔적을 발견하게 되었다. 바람에 흔들리다가 제 가시에 쓸렸으리라. 스스로를 지키기 위해 주어진 가시는 때로는 스스로를 찌르기도 한다는 사실에 나는 알 수 없는 슬픔을 느꼈다. 그걸 어렴풋하게 느낄 무렵, 소읍에서의 내 유년은 끝나 가고 있었다.

언제부턴가 내 손에는 더 이상 둥글고 향긋한 탱자 열매가 들어 있지 않게 되었다. 그 손에는 무거운 책가방과 영어 단어장이, 그 다음에는 누군가를 향해 던지는 돌멩이가, 때로는 술잔이 들려있곤 했다. 친구나 애인의 따뜻한 손을 잡고 다니던 때도 없지는 않았지만, 그 후로 무거운 장바구니, 빨랫감, 행주나 걸레 같은 것을 들고 있을 때가 더 많았다

생활의 짐은 한번도 더 가벼워진 적이 없으며, 그러는 동안 내 속에는 ㉠ **날카로운 가시**가 자라나기 시작했다. 가시는 꽃과 나무에만 있는 것이 아니었다. 세상에, 또는 스스로에게 수없이 찔리면서 사람은 누구나 제 속에 자라나는 가시를 발견하게 된다. 한번 심어지고 나면 쉽게 뽑아낼 수 없는 탱자나무 같은 것이 마음에 자리 잡고 있다는 것을, 뽑아내려고 몸부림칠수록 가시는 더 아프게 자신을 찔러 댄다는 것을 알게 되었다. 그 후로 내내 크고 작은 가시들이 나를 키웠다.

아무리 행복해 보이는 사람에게도 그를 괴롭히는 가시는 있게 마련이다. 어떤 사람에게는 용모나 육체적인 장애가 가시가 되기도 하고, 어떤 사람에게는 가난한 환경이 가시가 되기도 한다. 나약하고 내성적인 성격이 가시가 되기도 하고, 원하는 재능이 없다는 것이 가시가 되기도 한다. 그리고 그 가시 때문에 오래도록 괴로워하고 삶을 혐오하게 되기도 한다.

로트레크라는 화가는 부유한 귀족의 아들이었지만 사고로 인해 두 다리를 차례로 다쳤다. 그로 인해 다른 사람보다 다리가 자유롭지 못했고 다리 한쪽이 좀 짧았다고 한다. 다리 때문에 비관한 그는 방탕한 생활 끝에 결국 불우한 생을 마감했다. 그러나 그런 절망 속에서 그렸던 그림들은 아직까지 남아서 전해진다.

"내 다리 한쪽이 짧지 않았더라면 나는 그림을 그리지 않았을 것이다."라고 그는 말한 적이 있다. 그에게 있어서 가시는 바로 남들보다 약간 짧은 다리 한쪽이었던 것이다.

로트레크의 그림만이 아니라, 우리가 오래 고통받아 온 것이 오히려 존재를 들어 올리는 힘이 되곤 하는 것을 겪곤 한다. 그러나 가시 자체가 무엇인가 하는 것은 그리 중요한 문제가 아닐지도 모른다. 어차피 뺄 수 없는 삶의 가시라면 그것을 어떻게 받아들이고 다스려 나가는가가 더 중요하지 않을까 싶다. 그것마저 없었다면 우리는 인생이라는 잔을 얼마나 쉽게 마셔 버렸을 것인가. 인생의 소중함과 고통의 깊이를 채 알기도 전에 얼마나 웃자라 버렸을 것인가.

ⓒ **실제로 너무 아름답거나 너무 부유하거나 너무 강하거나 너무 재능이 많은 것이 오히려 삶을 망가뜨리는 경우를 자주 보게 된다.** 그런 점에서 사람에게 주어진 고통, 그 날카로운 가시야말로 그를 참으로 겸허하게 만들어 줄 선물일 수도 있다. 그리고 뽑혀지기를 간절히 바라는 가시야말로 우리가 더 깊이 끌어안고 살아야 할 존재인지도 모른다.

(나)

우리는 도덕적 문제 상황에서 옳고 그름을 판단할 때, 어떤 행위가 가져오는 결과를 고려하기도 한다. 어떤 행위의 옳고 그름이 그 행위를 수행함으로써 발생하는 결과에 의존하며, 올바른 행위란 최선의 결과를 가져오는 행위라고 주장하는 이론을 결과론이라고 한다.

결과론은 행위의 가치가 결정되어 있지 않다고 본다. 도덕적 문제 상황은 다양하며 최선의 결과를 가져오는 행위도 상황에 따라 다르다고 보기 때문이다. 따라서 결과론은 행위의 가치는 각 상황의 결과에 의해 결정되며, 미리 정해져 있는 것은 아니라고 주장한다.

또한 결과론은 좋은 결과의 산출이라는 목적에 도움이 되는 수단은 도덕적으로 정당화될 수 있다고 본다. 예를 들어, 거짓말이라는 행위가 좋은 결과를 가져다주었다면, 거짓말을 도덕적으로 비난할 수만은 없다는 것이다.

결과론의 대표적인 사상으로 경험론을 계승한 공리주의를 들 수 있다. 벤담은 인간의 모든 행위는 고통과 쾌락에 의해 결정된다고 주장하였다.

"자연은 인류를 고통과 쾌락이라는 최고의 두 주인이 지배하도록 하였다. 우리가 무엇을 행할까를 결정할 뿐만 아니라 우리가 무엇을 해야 하는지를 지시해 주는 것은 오직 고통과 쾌락뿐이다. 한편으로는 옳음과 그름의 기준이, 또 한편으로는 원인과 결과의 사슬이 두 주인의 왕조와 고정되어 있다. 이들은 우리가 행하는 모든 행위에서, 우리가 말하는 모든 말에서, 그리고 우리가 생각하는 모든 사고에서 우리를 지배한다."

벤담에 따르면 고통과 쾌락은 우리가 무엇을 행위해야 하는지를 알려준다. 즉 인간은 누구나 고통을 피하고 쾌락을 추구하려는 경향을 보이기 때문에, 고통을 회피하고 쾌락을 추구하는 것이 우리 행위의 목적이 된다는 것이다.

이러한 쾌락주의를 바탕으로 벤담은 옳고 그름의 기준으로 최대 다수의 최대 행복이라는 공리의 원리를 제시하였다. 공리란 유용성을 의미하며, 벤담이 말하는 유용성은 쾌락이나 행복을 가져오고 고통을 막는 것을 가리킨다. 또한 그는 사회란 개인의 집합체이므로 개개인의 쾌락은 사회 전체의 쾌락과 연결되며, 더 많은 사람 이 쾌락을 누리게 되는 것은 그만큼 더 좋은 일이라고 생각하였다.

(다)

귀퉁이 한 조각이 떨어져 나가 온전치 못한 동그라미가 있었다. 동그라미는 너무 슬퍼서 잃어버린 조각을 찾기 위해 길을 떠났다. 여행하면 동그라미는 노래를 불렀다. "나의 잃어버린 조각을 찾고 있어요. 잃어버린 내 조각 어디 있나요." 때로는 눈에 묻히고 때로는 비를 맞고 햇볕에 그을리며 이리저리 헤맸다. 그런데 한 조각이 떨어져 나갔기 때문에 빨리 구를 수가 없었다. 그래서 힘겹게, 천천히 구르다가 멈춰 서서 벌레와 대화도 나누고, 길가에 핀 꽃 냄새도 맡았다. 어떤 때는 딱정벌레와 함께 구르기도 하고, 나비가 머리 위에 내려앉기도 했다.

오랜 여행 끝에 드디어 몸에 꼭 맞는 조각을 만났다. 이제 완벽한 동그라미가 되어 이전보다 몇 배 더 빠르고 쉽게 구를 수가 있었다. 그런데 떼굴떼굴 정신없이 구르다 보니 벌레와 얘기하기 위해 멈출 수가 없었다. 꽃 냄새도 맡을 수 없었고, 휙휙 지나가는 동그라미 위로 나비가 앉을 수고 없었다.

"내 잃어버린 힉, 조각을 힉, 찾았어요! 힉!"

노래를 부르려고 했지만, 너무 빨리 구르다 보니 숨이 차서 부를 수가 없었다.

ⓒ <u>한동안 가다가 동그라미는 구르기를 멈추고, 찾았던 조각을 살짝 내려놓았다.</u> 그리고 다시 한 조각이 떨어져 나간 몸으로 천천히 굴려 가며 노래했다.

"내 잃어버린 조각을 찾고 있어요…"

나비 한 마리가 동그라미의 머리 위에 내려앉았다.

(라)

서른 살이 넘어도 아직 인생의 방향을 잡지 못하고 공연히 속도만 내는 젊은이들을 가끔 본다. 그럴 경우, 어떤 젊음의 속도를 낸들 그 속도가 무슨 의미가 있을까. 잘못 들어선 산길에서는 아무리 바쁜 걸음을 걸어도 산정에 다다를 수 없다. 내비게이션을 따라 운전하다가 아차 하는 순간 방향을 놓치고도 미처 그 사실을 모른다면 아무리 달려도 목적지는 나타나지 않는다.

인천국제공항에서 비행기가 아무런 목적지도 방향도 없이 이륙했다면 그 비행기는 아무 데도 착륙하지 못하고 인천국제공항으로 되돌아오지 않으면 안 된다. 비행기가 방향 없이 속도를 내지 않고, 배도 방향 없이 달려가지 않는다. 만일 그 배가 돛단배라면 바람의 방향에 의해 움직이는 게 아니라 돛의 방향에 의해 움직인다. 돛단배의 방향은 바람의 방향에 달려있는 게 아니라 돛의 방향에 달려 있다.

인생의 방향도 타인에 의해 설정되는 게 아니라 나 자신의 의지와 결단에 의해 설정된다. 물론 그 방향은 선하고 성실한 방향이어야 한다. 선한 방향이 아니면 누구의 인생이든 한 걸음도 나아갈 수 없다.

인생이라는 여행의 방향이 정해진 뒤에는 목표 지향적 여행보다 경로 지향적 여행이 바람직하다. 목표 지향적 여행을 하게 되면 자칫 방향보다 속도를 먼저 생각하게 된다. 자본주의의 천박한 속성인 경쟁에서 낙오되지 않기 위해 가능한 한 빠른 속도를 내려고 한다. 조금이라도 남에게 뒤처지면 인생 자체가 낙오된 듯 여긴다.

그러나 경로 지향적 여행을 하게 되면 인생의 속도는 줄어든다. 어디를 거쳐 어디를 가는 게 좋을까. 그곳에서 누구를 만나 며칠 밤을 묵고 갈까 하는 여유를 지니게 된다. 그런 여유 속에서 인생은 목표보다는 경로가, 속도보다는 과정이 더 중요하다는 것을 깨닫게 되고 인생의 길 또한 하나가 아니라 여러 개라는 사실을 깨닫게 된다. 이 오솔길을 걸어가다가 저 오솔길로 들어갈 수도 있다는 사실을 알게 돼 가다가 쉬고 싶으면 쉬고 되돌아가고 싶으면 다시 되돌아갈 수 있게 된다. 인생의 깊이와 넓이가 더 깊고 넓어짐으로써 자족하는 기쁨과 평화를 얻게 된다.

목표 지향적 여행을 하게 되면 인생의 길은 오직 하나다. 그 길이 끝나면 인생이 곧 끝나버리는 줄 알고 좌절하게 된다. 인생의 여행길에서 누구나 짊어지고 가야할 짐조차 던져 버린다. 목표 지향에서 오는 속도 때문에, 목표를 향해 빨리 가려고 하는 조급한 마음 때문에 인생에 꼭 필요한 고통이라는 짐이 무겁게만 느껴진다. 그러나 가끔 주위를 둘러보며 이곳저곳을 기웃거리며 가는 경로 지향적 여행의 과정 속에서는 무거운 짐도 가볍게 느껴진다. 굳이 빨리 갈 필요가 없기 때문에 짐이 무거우면 잠시 내려놓고 쉬게 된다.

오늘 나는 어떤 목표를 설정해 놓고 그 목표를 향해 뒤도 돌아보지 않고 뛰어가고 있는 것은 아닌지 나를 들여다본다. 내가 짊어지고 가는 인생의 짐이 너무 무겁다고 가벼워 보이는 다른 사람의 짐을 마냥 부러워하는 것은 아닌지 성찰해 본다. 내 인생이라는 여행에서 가장 중요한 것은 목표와 속도가 아니라 경로와 과정이다.

[문제 2] ㉠의 단점을 (나)와 (다)를 참조하여 설명하고, ㉡의 단점을 ㉢을 들어 설명한 후, ㉠과 ㉡의 대안을 (마)를 참조하여 서술하시오. (50점, 750±50자).

(가)

한국 사회의 통합을 위해서는 이민자들이 우리나라의 문화와 종교, 사회적 질서와 가치, 언어 등을 받아들이도록 해야 합니다. 이는 기존 사회의 문화와 가치 속에 다양한 문화권에서 온 이민자들을 융화하거나 흡수해야 한다고 보는 동화주의 관점입니다. 동화주의 관점은 이민자가 자신의 언어와 문화, 사회적 특성을 포기하고, 기존 사회의 일원이 되는 것을 목표로 합니다.

이와 같은 관점은 미국이 중시했던 ㉠ **'용광로(melting pot) 이론'**이 잘 보여 줍니다. 용광로 이론은 다른 사람도 나와 같아야 한다고 보는 동일성의 논리를 바탕으로, 수많은 이민자가 미국 사회에 정착하는 과정에서 백인 주류 문화에 융해되어 미국인이라는 새로운 인종으로 바뀐다는 이론입니다. 미국 사회를 용광로에 비유하고, 수많은 이민자를 용광로에서 녹아 하나가 되는 철광석에 비유한 것입니다.

다르게 생각하면, 한국 사회의 통합을 위해서는 이민자들이 자신의 문화를 유지하면서도 우리나라의 구성원으로 살아갈 수 있도록 해야 합니다. 이는 한 사회가 국가 안에서 주류 문화의 중요성을 부각하기보다는, 다양한 문화가 평등하게 인정되어야 함을 강조하는 다문화주의 관점입니다.

이와 같은 관점은 ㉡ **'샐러드 볼(salad bowl) 이론'**이 잘 보여 줍니다. 샐러드 볼 이론은 샐러드가 각각의 채소와 과일이 고유한 맛과 색을 유지하면서도, 동등하게 뒤섞여 전체적인 맛과 조화를 이루듯이, 다양한 민족이 자신의 문화를 유지하면서도 다른 문화들과 조화를 이루어 새로운 문화를 형성해 가야 한다고 보는 견해입니다.

(나)

미국의 어느 문화 심리학자는 ○○국제공항에서 사람들을 대상으로 간단한 실험을 하였다. 짧막한 설문에 답하도록 하고 그 대가로 볼펜을 주었는데, 사실 설문 내용은 중요하지 않았고, 진짜 실험은 응답자들이 어떤 펜을 고르느냐 하는 것이었다. 연구원들은 응답자 중 절반에게는 주황색 4개와 초록색 1개 묶음 중에서 고르도록 하였고, 나머지 절반에게는 초록색 4개와 주황색 1개 묶음 중에서 고르도록 하였다. 실험 결과 유럽계 미국인들은 나머지 네 개와는 다른 색상의 볼펜을 선택하는 경우가 많았다. 예를 들어, 주황색 4개와 초록색 1개 묶음 중에서는 초록색 1개를 선택한 것이다. 반면, 아시아계 미국인들은 '주류'에 해당하는 색상을 주로 선택하였다.

이 학자에 따르면, 이러한 선택의 차이는 이들이 가지고 있는 자아의 차이 때문이라고 한다. 유럽계 미국인들은 독립적인 자아를, 아시아계 미국인들은 상호 의존적인 자아를 가지는 경향이 있다는 것이다. '독립적 자아'는 자기 자신을 개별적이고, 고유하고, 다른 자아와 주변 환경에 영향을 미치며, 자유롭고 평등한 존재라고 생각한다. 이에 비해 '상호의존적 자아'는 자기 자신을 관계 지향적이고 다른 자아들과 비슷하고, 주변 환경에 적응하고, 전통을 따르고 의무를 다하며 질서 속에서 살아가는 존재로 본다. 이처럼 다른 자아를 가지게 된 이유를 가족과의 상호 작용 등 성장 과정에서 찾았는데, 서로 다른 자아를 가진 이들은 쉽게 동화되지 않는다.

(다)

1939년 11월 조선민사령 개정으로 창씨개명 실시가 결정되었다. 창씨개명이란 조선의 성씨를 일본식으로 새롭게 만들고, 거기에 맞게 이름도 일본식으로 고치는 것을 말한다. 말 그대로 창씨하고 개명하는 것이다. 6개월 시한으로 받은 창씨 신청은 조선인 호수의 80%에 달했다. 지금도 일본 우익은 창씨개명에 관해 "다소 무리는 있었지만 법적으로 강제한 것은 아니었다."라는 논리를 펼치는데, 창씨하지 않은 20%의 존재를 그 근거로 내세운다. 하지만 초기에 신고가 부진하자 법원이 "전 호수의 씨(氏) 신고를 완료하라."라고 읍·면장 등에게 명령한 공문이나 지역 간 경쟁을 부추겼다는 증거가 속속 나오고 있다. 이렇게 일제는 조선이라는 나라의 정체성을 없애고 대일본제국의 한 부분으로 강제로 통합하려고 했다.

(라)

들뢰즈는 과거 철학자들의 사유 방식이 보편적 가치나 개념으로부터 파생되는 나무의 이미지였다면, 오늘날 다양성과 차이를 강조하는 사회에서는 뿌리줄기 식물인 ⓒ **리좀(Rhyzome)**의 사유 방식이 필요하다고 본다. 다양한 개인 간의 차이를 강조하면서 각 개인이 삶의 중심이 되어야 함을 강조한 것이다.

가령 들뢰즈는 나무는 뿌리라는 한 가지 중심에서 가지와 잎 등의 많은 부수적인 요소들이 나오지만, 리좀인 뿌리줄기 식물은 중심이 존재하지 않기 때문에 역설적으로 어디든 중심이 될 수 있다. 리좀은 타인의 시선이나 관계를 중시 여기지 않고 오로지 자신만을 위해 살아가는 식물이다. 그래서 리좀은 큰 중심이 없다는 점, 작은 리좀들끼리만 뭉쳐서 살아가기 때문에 나무처럼 굳건하게 자리 잡기 어렵다는 점 등이 단점으로 꼽힌다.

(마)

한옥은 난방을 위한 온돌과 냉방을 위한 마루가 균형 있게 결합해 있다. 이는 기온의 연교차가 큰 우리나라에서 더위와 추위를 동시에 해결하고자 발달한 독특한 주거 형식이다.

근대화 과정에서 아파트가 많이 생겨났고, 한옥이 불편하다고 생각하는 사람들이 늘어났다. 하지만 한국식 아파트는 바닥 난방 방식으로 온돌을 접목하여, 한옥의 온돌 문화를 재해석한 것이었다. 최근에는 온돌을 현대화한 바닥 온돌 패널(panel)을 다른 나라에 수출하기도 한다. 동시에 우리나라의 한옥은 산업화 과정에서 생활하기 불편하다는 이유로 외면 받았는데, 최근에는 수세식 화장실이나 서양식 부엌과 같은 현대식 주거 문화가 결합된 개량 한옥이 늘고 있는 추세이다. 이처럼 전통적인 한옥과 서구적인 아파트가 하나의 공간에서 새롭게 융합하고 있다.

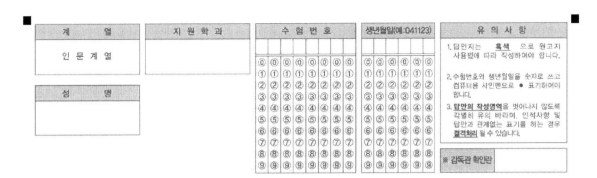

계 열

인 문 계 열

성 명

지 원 학 과

수 험 번 호

생년월일(예:041123)

유 의 사 항

1. 답인지는 **흑색** 으로 원고지 사용법에 따라 작성하여야 합니다.

2. 수험번호와 생년월일을 숫자로 쓰고 컴퓨터용 사인펜으로 ● 표기하여야 합니다.

3. **답안의 작성영역**을 벗어나지 않도록 각별히 유의 바라며, 인적사항 및 답안과 관계없는 표기를 하는 경우 **결격처리** 될 수 있습니다.

※ 감독관 확인란

【1번】 답안　(반드시 해당 문제와 일치하여야 함)

40

80

120

160

200

240

280

320

360

400

440

이 줄 아래에 답안을 작성하거나 낙서할 경우 판독이 불가능하여 채점 불가

480

520

560

600

640

680

720

760

800

【2번】답안　(반드시 해당 문제와 일치하여야 함)

40

80

120

160

200

240

280

320

360

400

440

	480
	520
	560
	600
	640
	680
	720
	760
	800

5. 2023학년도 광운대 수시 논술 1

[문제 1] ㉠의 문제점을 (다)를 활용하여 설명하고 ㉡의 이유를 (가)와 (나)에서 찾아 서술한 다음, ㉢을 바탕으로 (라)를 설명하시오. (50점, 750±50자)

(가)

"한국 정치의 광장에는 똥오줌에 쓰레기만 더미로 쌓였어요. 모두의 것이어야 할 꽃을 꺾어다 저희 집 꽃병에 꽂구, 분수 꼭지를 뽑아다 저희 집 변소에 차려 놓구, 페이브먼트를 파 날라다가는 저희 집 부엌 바닥에 깔구, 한국의 정치가들이 정치의 광장에 나올 땐 자루와 도끼와 삽을 들고, 눈에는 마스크를 가리고 도둑질하러 나오는 것이지요."

<중략>

개인적인 욕망이 터부로 되어 있는 고장, 북조선 사회에 무겁게 덮인 공기는 바로 이 터부의 구름이 시키는 노릇이었다. 인민이 주인이라고 멍에를 씌우고, 주인이 제일하는데 몸을 아끼느냐고 채찍질하면, 팔자가 기박하다 못해 주인까지 돼 버린 소들은, 영문을 알 수 없는 걸음을 떼어 놓는다. 일등을 해도 상품이 없다는 데야 누가 뛰려고 할까? 당이 뛰라고 하니까 뛰긴 해도 그저 그만하게 뛰는 체하는 것뿐이었다. 사람이 살다가 으뜸 그럴듯하게 그려낸 꿈이, 어쩌다 이렇게 도깨비놀음이 됐는지 아직도, 아무도 갈피를 잡지 못해서, 행여 내일 아침이면 이 멍에가 도깨비방망이로 둔갑할까 기다리면서, 광장에는 꼭두각시뿐 사람은 아무도 없었다.

(아래는 위 작품의 서문과 평론의 일부이다.)

광장은 대중의 밀실이며 밀실은 개인의 광장이다. 인간을 이 두 가지 공간의 어느 한 쪽에 가두어 버릴 때, 그는 살 수 없다. 그럴 때 광장에 폭동의 피가 흐르고 밀실에서 광란의 부르짖음이 새어 나온다. 우리는 분수가 터지고 밝은 햇빛 아래 뭇 꽃이 피고 영웅과 신들의 동산으로 치장이 된 광장에서 바다처럼 우람한 합창에 한 몫 끼기를 원하며 그와 똑같은 진실로 개인의 일상을 되돌아보며 침대에 걸터앉아서 광장을 잊어버릴 수 있는 시간을 원한다.

광장은 사회 구성원들이 공동의 이념을 추구하며 실천하는 사회적 공간이다. 반면에 밀실은 개인적 사고와 행동이 자유로운 내밀한 삶의 공간이다. 해방 후 남북으로 갈라진 상황에서 많은 지식인들은 남한과 북한 중 어느 한 쪽을 선택했어야 했다. 그러나 남한은 진정한 광장은 없고 밀실만 있었으며, 북한은 ㉠ **진정한 밀실은 없고 광장만 존재했다.** ㉡ **포로가 된 주인공 이명준은 중립국을 선택했다.**

(나)

국가는 우리가 인간다운 삶을 추구하고 자기를 실현해 가는 삶의 터전이다. 따라서 국가의 역할에 따라 우리의 삶의 질이나 추구하는 가치가 달라질 수 있다. 그렇다면 국가가 마땅히 수행해야 할 역할은 무엇인가? 또 그러한 역할의 정당성을 어떻게 확보할 수 있는가? 이미 오래 전부터 동서양의 사상가들은 이러한 물음을 제기하고, 다양한 관점에서 그에 답해 왔다.

국가의 역할과 관련하여 로크는 자연 상태의 개인들이 비교적 평화로우며, 각 개인은 이성과 양심을 지니고 살아간다고 보았다. 그래서 그는 개인의 생명, 자유, 재산을 보장하는 것이 국가의 역할이라고 주장하였다. 또 그는 각 개인이 자신의 모든 권리를 국가에 양도한 것은 아니므로, 국가가 개인의 소유권을 동의 없이 침해하는 것이 부당하다고 보았다. 따라서 로크는 정부가 개인의 권리를 심각하게 침해하거나 공동선을 해칠 경우, 시민들이 정치적 저항권을 행사할 수 있다고 주장하였다.

(다)

벤담은 페놉티콘이라는 원형 교도소를 제안했다. 페놉티콘은 가운데가 비어있는 동심원 모양을 하고 있으며, 바깥쪽의 둥그런 건물에는 수감자를 가두는 방이 들어서 있고 중앙에는 수감자를 감시하기 위한 공간이 있었다. 수감자의 방에는 햇빛을 들이기 위해 외부로 난 창 이외에도 건물 내부를 향한 또 다른 창이 있어서, 수감자의 일거수일투족이 감시자에게 시시각각 포착될 수 있었다. 반면 중앙의 감시 공간의 내부는 항상 어둡게 유지되어 수감자는 감시자가 자신을 감시하고 있다는 사실은 커녕 감시자의 존재 자체도 알 수 없었다. 벤담에 따르면 페놉티콘에 갇힌 수감자는 보이지 않는 곳에서 항상 자신을 감시하고 있을 감시자의 시선을 의식해서 스스로를 감시하게 되는 것이었다. 원형 교도소의 구조는 봄-보임의 결합을 분리한다. 즉, 주위를 둘러싼 원형의 건물 안에서는 아무것도 보지 못한 채 완전히 보이기만 하고, 중앙부의 탑 속에서는 모든 것을 볼 수 있지만, 밖에서는 탑 안이 절대로 보이지 않는다.

이런 구조는 권력을 자동적인 것이며, 또한 비개성적인 것으로 만들기 때문에 중요하다. 그 권력의 근원은 개인에게 있는 것이 아니라 그 구조에 있다. 누가 권력을 행사하느냐는 별로 중요하지 않다. 우연히 걸려든 그 누구라도 이 구조를 활용할 수 있다. 따라서 그 관리 책임자가 부재중이라면 그의 가족이나 측근, 친구, 방문객, 그리고 하인조차도 그 일을 대신할 수 있다. 마찬가지로 이 구조를 활용하는 동기가 무엇이건 상관이 없다. 그것이 경솔한 사람의 호기심이건 어린아이의 장난이건, 어느 철학자의 지적 호기심이건, 아니면 몰래 살피거나 처벌하는 데에서 기쁨을 찾는 인간의 짓궂은 장난이건 말이다. 이러한 익명의 일시적인 관찰자가 많으면 많을수록 수감자는 간파될 위험과 관찰된다는 불안감을 더 많이 느낀다.

푸코에게 있어서 페놉티콘은 벤담이 상상했던 사설 교도소의 의미를 훨씬 뛰어넘는 것이었다. 그것은 새로운 근대적 감시의 원리가 체화된 건축물이었고, 군중이 한 명의 권력자를 우러러 보는 스펙터클의 사회에서 한 명의 권력자가 다수를 감시하는 규율 사회로의 변화를 상징하는 동시에 그런 변화를 추동한 것이었다. 이는 또 개인에 대한 근대 권력의 통제가 육체적인 형벌에서 산업 자본주의의 인간형에 적합한 영혼의 규율로 바뀌어 갔음을 보여 주는 것이었다. 페놉티콘은 ⓒ **모세관같은 권력이 사회 구석구석에 스며들어 우리를 통제한다**는 푸코 철학의 정수를 잘 보여주는 더없이 좋은 실례였다. 감시는 은밀하고 알 수 없게 이루어진 반면에 처벌은 확실하고 효과적으로 수행되었고, 통제와 권력은 비대칭적인 시선을 가능케 한 건축 구조에 체화되었던 것이다. "교도소가 공장, 학교, 군대의 막사, 병원과 비슷하고, 이것들이 다시 교도소를 닮았다는 것이 놀라운 사실일까?"라는 푸코의 논평에서 보듯이, 우리의 사회가 거대한 페놉티콘, 즉 교도소와 별반 다르지 않다는 것이 푸코가 전달하는 바였다.

(라)

 사이버 공간은 인터넷을 통해 간접적으로 소통하는 생활 공간이다. 우리는 누리 소통망 서비스나 블로그 등을 활용하여 자기 관심 분야에서 다양한 활동을 하면서 재능을 발휘하기도 하고, 신분을 드러내지 않고 개인의 의견을 자유롭게 표현할 수 있다.

 그러나 사이버 공간에서 표현의 자유는 악의적으로 이용되기도 한다. 사이버 폭력이 그 대표적인 예이다. 사이버 폭력은 인터넷에서 허위 사실을 유포하거나 악성 게시물과 댓글 등으로 다른 사람의 명예를 훼손하고 정신적으로 피해를 주는 행위이다. 이러한 폭력은 사이버 공간의 익명적 특성 때문에 더욱 은밀하고 가혹하게 행해지며 집단으로 이루어지기도 해 심각한 문제가 되고 있다.

 더불어 정보가 디지털화되면서 개인 정보가 쉽게 축적되어 사이버 공간에서 사생활을 침해당할 위험이 더욱 커지고 있다. 사생활 침해란 자신의 의사와 무관하게 여러 가지 개인 정보가 다른 사람에게 노출되거나 악용되는 것을 말한다. 사이버 공간에서 발생하는 사생활 침해는 현실 공간에서보다 매우 쉽고 빠르게 이루어지며, 광범위하게 확산된다는 측면에서 오늘날 심각한 윤리 문제가 되고 있다.

 사이버 공간은 현실 세계에서 억눌렸던 감정을 마음껏 해소하는 공간이 아니라, 다른 사람의 인권과 사회 질서를 침해하지 않는 범위 내에서 자유로운 표현이 보장되는 공간이다. 우리는 사이버 공간에서 활동하고 만나는 모든 사람들이 소중한 인권을 가지고 있음을 분명히 인식하고 자신의 행위에 대해 책임 의식을 지녀야 한다. 또한 아무리 평범하고 사소한 개인 정보일지라도 인간의 존엄성을 유지하기 위해서는 철저히 보호되어야 한다.

[문제 2] ⊙의 원인을 (나)의 내용과 [도표 1], [도표 2]를 연관지어 분석하고, (다)의 두 관점으로 ⓒ을 설명한 다음, ⓒ을 해결하기 위한 노력을 (라)의 두 차원에서 논술하시오. (50점, 750±50자)

(가)

징이 울린다 막이 내렸다
오동나무에 전등이 매어 달린 가설무대
구경꾼이 돌아가고 난 텅 빈 운동장
우리는 분이 얼룩진 얼굴로
학교 앞 소줏집에 몰려 술을 마신다
⊙ **답답하고 고달프게 사는 것이 원통하다**
꽹과리를 앞장세워 장거리로 나서면
따라붙어 악을 쓰는 건 쪼무래기들뿐
처녀 애들은 기름집 담벽에 붙어 서서
철없이 킬킬대는구나
보름달은 밝아 어떤 녀석은
꺽정이처럼 울부짖고 또 어떤 녀석은
서림이처럼 해해대지만 이까짓
산 구석에 처박혀 발버둥 친들 무엇하랴
비룟값도 안 나오는 농사 따위야
아예 여편네에게나 맡겨두고
쇠전을 거쳐 도수장 앞에 와 돌 때
우리는 점점 신명이 난다
한 다리를 들고 날라리를 불거나
고갯짓을 하고 어깨를 흔들거나

(나)

산업과 도시가 발달하기 이전에는 사람들이 대부분 농림 어업에 종사하였고, 농경이 유리하거나 교통이 편리한 지역에 모여 살았다. 도시가 본격적으로 발달하기 시작한 것은 산업 혁명 이후였다. 산업혁명은 기계화와 분업화를 가져왔고, 농업 중심의 사회가 공업 중심의 사회로 바뀌는 산업화를 일으켰다. 특히, 농촌의 사람들이 더 나은 소득이나 직업, 자녀 교육 등을 위해 도시로 모여드는 이촌 향도 현상이 지속되고 있는데, 전체 인구 중 도시에 거주하는 인구의 비율이 높아지거나 도시적 생활 양식이 확대되는 현상을 도시화라고 한다.
1960년대 ⓒ **산업화와 도시화가 진행되면서 우리나라의 사회 계층 구조가 변화**하였다. 미국에서 들어오는 엄청난 양의 잉여 농산물과 저곡가 정책*으로 1960년대 전체 인구의 절반 이상을 차지했던 농민들은 생계비조차 마련하기 어려웠다. 살기 어려워진 농민들은 차츰 농촌을 떠났고, 전체 산업에서 농업이 차지하는 비중도 점점 줄었으며 대부분의 농가가 빚더미에 앉는 상황에 이르렀다.

도시 지역으로 인구와 산업, 편의 시설 등이 지나치게 집중되는 반면, 촌락 지역은 인구가 지속적으로 유출되고 지역 경제가 침체되는 현상이 나타난다. 이러한 © **공간 불평등 현상**은 낙후 지역 주민들의 경제적, 사회·문화적 생활 수준을 떨어뜨리고, 상대적으로 발전된 주변 지역 주민과의 갈등을 일으켜 사회 통합을 저해하는 요인으로 작용할 수 있다.

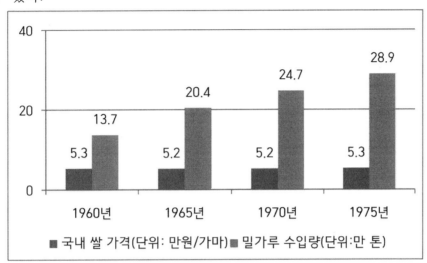

[그래프 1] 국내 쌀 가격과 밀가루 수입량 변화

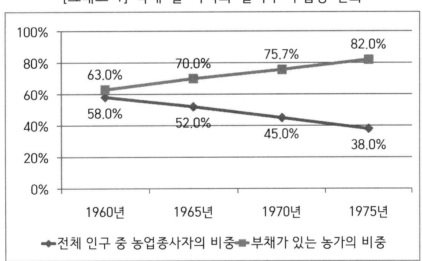

[그래프 2] 농업종사자 비중과 농가부채 변화

* 저곡가 정책(농산물 저가격 정책): 1960년대 이후 정부가 농산물 가격을 낮은 수준으로 유지하여 안정화하고자 한 농업 정책의 기조.

(다)

사회·문화 현상을 이해하는 관점 중 기능론은 사회를 유기체에 비유한다. 우리 몸은 심장과 폐, 소화 기관 등이 유기적으로 연관되어 있어서, 어느 하나라도 제 역할을 하지 못하면 몸이 유지되기 어렵다. 기능론은 사회도 이와 유사하다고 본다. 즉, 사회는 수많은 요소로 구성되어 있고, 사회를 구성하는 요소들은 사회 전체의 존속과 통합에 필요한 고유의 기능을 수행하며, 이러한 기능들이 상호 의존적으로 작용하여 사회가 안정을 유지하는 데 이바지한다는 것이다. 예를 들어, 농촌은 도시 지역이 필요로 하는 식량을 안정적으로 생산하고, 도시는 이 식량을 통해 사회가 필요로 하는 재화와 서비스를 생산하여 공급하는 유기적인 관계를 맺는다. 또한, 기능론은 사회 구성원들이 공유하는 가치나 규범을 구성원 간 합의의 산물로 보고, 사회 질서 유지와 사회 안정을 위해 이러한 규범을 지킬 것을 강조한다.

상징적 상호 작용론은 사회 제도나 사회 구조보다는 일상생활 속에서 나타나는 인간의 행위에 초점을 두고, 언어, 신호, 손짓 등과 같은 상징을 통해 이루어지는 개인들 간의 상호 작용에 주목한다. 상징적 상호 작용론에 따르면 사람들은 자신에게 주어진 상황에 대해 의미를 부여하고 해석하는 것을 토대로 다른 사람과 상호 작용을 한다. 따라서 상징적 상호 작용론자들은 사회 문제의 개념 정의에 관심을 두기보다는, 사회 문제가 정의되는 과정에 더 많은 관심을 둔다. 즉, 사회 문제라는 것은 대부분의 사회 구성원이 어떤 바람직하지 못한 상황이나 조건을 하나의 문제로 규정하고, 개선이 필요하다고 인식할 때 비로소 문제로 존재한다는 것이다. 예를 들어, 과거 농촌지역은 여러 지역 사회에서 나타나는 고유한 생활양식이 존재하고 같은 지역에 사는 사람들에게 정체성과 유대감, 자부심을 길러주고, 국가 전체적으로 문화적 다양성을 제공하는 공간으로 인식되었으나 공업 중심의 근대화 과정에서 소외된 공간으로 종종 인식되곤 한다.

(라)

대부분의 사회 불평등 문제는 오랫동안 누적되어 왔기 때문에 단순히 모든 지역에 동등한 기회를 부여하는 것만으로는 그 해결이 어려운 경우가 많다. 이를 해결하기 위한 노력은 개인적·의식적 차원과 사회적·제도적 차원으로 나누어 살펴볼 수 있다.

우선, 개인적·의식적 차원에서는 지나친 경쟁 대신 다른 사람들을 배려하고 존중하는 공동체 의식이 필요하며, 모두의 행복을 위한 협동과 연대가 필요하다. 구체적으로 우리가 마주하게 되는 각각의 불평등 현상에 대해 업적, 능력에 의해 공정하게 이루어진 것인지, 사회적 약자의 필요를 고려하여 결과의 평등을 이끌어 낼 문제인지를 고찰할 필요가 있다. 그리고 자신이 어떤 계층에 속하든지 사회적 약자의 고통에 대해 공감하는 태도를 가지고 그들이 우리 사회에서 배제되지 않게 배려하는 자세도 필요하다. 이러한 공동체 의식을 기반으로 개인적으로 기부나 봉사 활동을 할 수도 있고, 시민 단체나 협동조합 등과 같은 지속성 있는 활동을 통해 장기적으로 사회적 약자의 자립에 도움을 줄 수도 있다.

다음으로, 사회적·제도적 차원에서는 불평등의 원인이 되는 사회 제도나 관행을 고쳐나가야 한다. 누구에게나 다양하고 질 높은 교육을 균등하게 제공해야 하며, 저소득층을 비롯한 사회적 소수자들을 위한 복지 제도를 마련해야 한다. 또한 사회 연대 의식을 바탕으로 부당한 차별을 금지하고 약자를 보호하는 법을 제정하거나, 지역 격차 완화를 위한 정책을 마련하는 등 실질적인 기회의 평등을 보장하기 위해 일정한 혜택을 부여하는 적극적 우대 조치를 실시해야 한다. 현재 공공 기관에서는 공무원이나 근로자를 고용할 때 일정 비율 이상의 지역인재를 고용하는 것을 의무화하고 있다. 또한, 2009학년도부터 대학 입학 전형에서도 농어촌 학생 전형, 기회균등 전형 등의 다양한 방법을 통해 빈곤층, 농어촌 지역 학생들이 좀 더 폭넓게 대학 입학의 기회를 누릴 수 있도록 하고 있다.

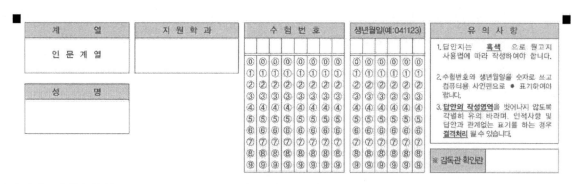

【1번】 답안   (반드시 해당 문제와 일치하여야 함)

40

80

120

160

200

240

280

320

360

400

440

이 줄 아래에 답안을 작성하거나 낙서할 경우 판독이 불가능하여 채점 불가

480

520

560

600

640

680

720

760

800

【2번】 답안 (반드시 해당 문제와 일치하여야 함)

40

80

120

160

200

240

280

320

360

400

440

		480
		520
		560
		600
		640
		680
		720
		760
		800

6. 2023학년도 광운대 수시 논술 2

[문제 1] ㉠을 (나)의 시각에서, ㉡을 (다)의 시각에서 각각 비판한 뒤, ㉢의 원인을 ㉣로 설명하고, ㉢의 대안을 (마)의 입장에서 제시하시오. (50점, 750±50자)

(가)

　프랑스에서 일부 여성들이 기본적 자유에 반대되는 종교적 압박을 받으며 살아가고 있다. 특히 부르키니(Burqini)가 그러한데, 부르키니는 이슬람교도 전통 의상인 '부르카(Burqa)'와 '비키니(Bikini)'를 합성한 말로, 이슬람교도 여성들이 착용하는 전신 수영복을 말한다. 머리부터 발목까지 감싼 형태로 얼굴과 손, 발 이외의 신체는 노출하지 않는다. 래시가드처럼 몸에 딱 붙는 재질을 사용하지만, 몸의 형태를 드러내지 않기 위해 원피스를 덧씌운 투피스 형태로 입는 것이 일반적이다.

　부르키니 착용을 반대하는 것은 두 가지 이유 때문이다. ㉠ **첫째 이유**는 보수적이고 봉건적인 아랍권 문화에서 부르키니가 여성에 대한 억압을 상징하기 때문이다. 그 어느 곳보다 자유로워야 할 해변에서조차 이슬람 여성들은 자기 신체를 마음껏 드러내지 못한다. 여성 노예화의 상징이고 남성을 유혹한다는 편견과 여성은 불결하므로 온몸을 가려야 한다는 낡은 생각을 반영한 것이며, 프랑스의 전 세계 여권 신장을 위한 노력에도 반한다. ㉡ **둘째 이유**는 사람들이 모이는 공공장소에서 특정 종교를 드러내서는 안 되기 때문이다. 프랑스는 정교가 분리된 나라이고, 세속주의가 헌법에 명시된 국가이기 때문에 이슬람교도이기 이전에 프랑스인으로서 부르키니 착용을 금지해야 한다. ㉢ <u>그 어떤 이유든 개인의 자유와 인권을 중시 여기는 프랑스에서 부르키니 착용은 금지되어야 한다.</u>

(나)

　유럽의 식민지 지배 경험을 가진 아시아와 아프리카인들은 근대화 담론과 식민주의의 폭력 사이에서 어떤 선택을 할지 고민했다. 봉건적이고 전근대적인 사회를 근대화된 서구 사회처럼 바꾸는 것을 정당하다고 생각할 수 있지만, 바로 그런 근대화의 주역인 서구가 식민주의의 폭력을 행사하는 제국주의의 주체이기 때문에 그 사이에서 고민하지 않을 수 없었던 것이다. 그래서 그들은 봉건적인 것을 모두 나쁜 것으로, 근대적인 것을 모두 좋은 것으로 선뜻 판단할 수 없었다.

　이런 고민은 우리에게도 예외가 아니었다. 예를 들어 개화기에 들어서면서 여성도 신학문을 배울 수 있는 여학교가 조선에 설립되었다. 다만 얼굴을 드러내 놓고 외출하는 것을 꺼리는 사회 분위기 때문에 여학생들은 쓰개치마를 쓰고 등·하교하였다. 그런데 1911년 배화 학당에서 쓰개치마를 교칙으로 금한 일이 있었다. 여성도 남성과 마찬가지로 당당한 사회 구성원이기 때문에 굳이 얼굴을 가릴 필요가 없다고, 그런 것은 봉건적 잔재라고 생각했기 때문이다. 그런데 이상한 일이 발생했다. 학생들과 가족들은 얼굴을 내놓고 거리를 다닐 수 없다며 반발하였고, 이 때문에 학생들 상당수가 학교를 그만둘 정도로 파장이 컸다. 결국 배화 학당은 쓰개치마 대안으로 얼굴을 가리고 다닐 수 있도록 검정 우산을 나누어 주었다. 이후 우산은 여학생들은 물론 일반 여인들 사이에서도 널리 유행하였고, 얼굴을 가리는 용도에서 햇빛을 가리는 양산으로까지 확대되어 멋을 내는 도구가 되었다. 이유야 어떻든 우산은 외출을 꺼리던 여인들이 집을 나와 거리를 자유롭게 활보할 수 있도록 도움을 준 셈이다.

이슬람교도가 살고 있는 곳에서도 비슷한 일이 일어났다. 알제리를 지배하던 제국주의 프랑스는 알제리 여성들이 착용하고 있는 히잡이 여성들의 자유와 인권을 억압한다고 판단해서 금지하는 법령을 실시했는데, 이때 알제리 여성들은 오히려 히잡을 금지하는 법을 강하게 거부했다. 당시 여성 가운데 가장 강하게 거부한 이들은 엘리트인 대학생들이었다. 그들은 익숙했던 히잡을 벗고 거리에 나오는 심정을 옷을 입지 않고 발가벗긴 채 거리에서 남성들의 관음증의 도구가 된 것으로 묘사했다. 그래서 히잡 쓰기 운동을 벌이던 여성들은 여기서 더 나아가 히잡 안에 무기를 숨겨 운반하면서 알제리 독립운동에 동참했다. 역설적이게도 봉건적 잔재로 여겼던 히잡이 오히려 이성적 근대를 혁파하는 혁명 무기로 활용된 것이다. 이렇게 보면, 문명화되었다고 생각하던 이들의 일방적인 사고가 오히려 다른 이들에게는 독단적인 폭력이 된다는 것을 알 수 있다.

(다)

때로는 이해하기 힘든 다른 문화권의 관행도 환경에 효과적으로 적응하기 위해 고안해 낸 현명한 행동임을 깨닫는 경우도 많다. 이런 시각을 공간적 관점이라고 하는데, 세상을 공간적 관점에서 바라본다는 것은 세상에서 일어나는 다양한 현상을 위치와 장소, 분포 양상과 형성 과정, 이동과 네트워크 등의 공간적 맥락 속에서 살펴보는 것을 의미한다. 세상을 탐구하는 데 공간적 관점이 필요한 까닭은 공간 속에서 서로 영향을 주고받으며 얽혀 있는 인간, 사회, 환경의 관계를 파악하는 데 도움을 주기 때문이다.

인류학자 마빈 해리스는 이슬람교도가 돼지고기를 혐오하는 데에서 비롯된 종교적 음식 금기를 환경적 합리성으로 해석하고 있다. 이슬람교도가 돼지고기를 혐오하는 것은 단순히 종교적 금기 때문만은 아니다. 돼지고기는 선모충증을 일으킬 수 있고 치명적인 탄저병을 옮길 수도 있어 중동 지방에서 매우 위험한 음식이다. 또 돼지 사육은 중동 지방의 자연 생태계와 문화공동체를 깨뜨릴 위험이 있다. 중동의 건조한 지방에는 돼지만큼 많이 먹는 가축을 키울 정도로 농산물이 풍부하지 않다. 게다가 유목 생활을 하거나 반(半) 정착농경을 하는 아랍인들에게 돼지는 위협적인 존재가 된다. 돼지를 끌고는 어디도 이동할 수 없기 때문이다. 그러므로 돼지고기를 먹지 말라는 종교적 금기에는 생태학적인 전략과 합리성도 있는 것이다.

이들의 복장도 마찬가지다. 이슬람교도가 거주하는 곳은 대부분 건조한 기후이기 때문에 가능하면 얇은 옷을 입지만, 강한 태양볕과 모래 바람을 막기 위해 그들은 전신을 가리면서 특히 머리에 큰 가림개를 착용했다. 이것은 여성에게만 국한된 것이 아니라 남성 역시 그러한데, 오늘날 중동의 많은 남성들이 여전히 그런 복장을 하고 있는 것도 이 때문이다. 이런 현상은 이슬람이 중동을 지배하기 훨씬 이전부터 있어 왔고 여전히 유지되는 전통인데, 지리적 특성과 깊은 관련이 있다. 각 문화는 저마다의 합리성을 지니고 있는데, 서로 다른 합리성이야말로 각 문화가 지니고 있는 오랜 지혜이자, 특수한 환경 조건에서 적응하면서 축적한 귀한 지식이다.

(라)

ⓛ **오리엔탈리즘(Orientalism)**은 유럽이 동양과 서양을 문맹과 문명, 야만과 지성으로 나누는 이분법적 사고 틀을 말한다. 오리엔트라는 말이 들어가 있지만, 동양은 오리엔탈리즘의 주체가 아니다. 오리엔탈리즘은 철저하게 서양의 관점에서 바라본 동양에 대한 이미지이다. 서양의 관점에서 동양은 미지의 신비로운 곳이며, 문명화되지 않은 야만 사회이다. 따라서 더 합리적이고 이성적인 서구 문명이 미개한 동양을 문명화시키고 지배하는 것이 정당화된다. 서양의 문학, 예술, 영화 등에서 동양은 아름답고 신비롭지만, 야만스럽고 이상하게 묘사된다. 이것이 바로 서양이 바라보는 동양의 모습이기 때문이다. 문제는 이러한 동양에 대한 서양의 편견이 서양의 대중문화를 통해 동양에 그대로 이식된다는 점이다. 그래서 동양 역시 이러한 오리엔탈리즘을 통해 자신과는 다른 동양을 바라보게 된다. '동양 안의 동양'이 오리엔탈리즘을 통해 발생하게 된 것인데, 이런 것은 서양의 시선, 즉 이성적이고 합리적인 시선을 자신이 가지고 있다고 착각하기 때문에, 그 시선에 어긋나는 것은 비이성적이며 미개한 것으로 판단하기 때문에 발생한다.

(마)

성 불평등 현상의 또 다른 원인으로 성별에 따른 차별적 사회화 과정을 들 수 있다. 사회 전반에 자리 잡은 성별에 관한 선입견과 편견을 토대로 남성과 여성이 서로 다른 정체성과 역할을 습득하는 사회화 과정을 거친다. 개인은 몸가짐, 말투, 머리 모양, 옷 등에서 성별에 따라 서로 다른 기준을 적용받고 그 사회가 용인하는 여자다움 혹은 남자다움을 학습하면서 성장한다. 이러한 차별적 사회화는 부모의 양육 태도, 전통적인 성 역할과 규범을 강조하는 학교 교육, 여성의 성을 상품화하는 대중 매체 등을 통해 심화된다.

이러한 차별적 사회화 과정에 맞설 수 있는 가장 효율적인 방법은 여성들이 적극적으로 저항하는 것이다. 보부아르의 그 유명한 말처럼, 여성은 여성으로 태어나는 것이 아니라 여성으로 길러지는 것이기 때문에 이러한 교육과 사회화 과정을 거부해야 한다. 그래서 평등한 성 역할을 할 수 있는 사회화 과정을 만들도록 하는 주체적 자세가 무엇보다 중요하다.

많은 이슬람교도 여성들은 부르키니 금지야말로 위선적인 성차별주의이자 인종주의라고 반박한다. 프랑스 태생의 이슬람교도 여성이자 '종교의 자유' 전문가인 임사라 알루아니 툴루즈대학 연구원은 "부르키니는 신앙을 지키면서 여가 활동도 즐기려는 서구의 이슬람교도 여성들이 선택한 것"이라며 "부르키니 반대론은 이슬람을 '2등 종교'로 낙인 찍는 낡은 관념에서 비롯한다."라고 말하였다. 프랑스 이슬람 탐구 재단의 레모나 알리도 영국 『가디언』 기고에서 "정치인들은 끊임없이 통합과 포용을 이야기하면서도 '억압받고 배제되었다.'고 주장하는 이들을 주변부로 걷어차고 있다."라고 비판하였다. 종교적 신념이든 취향이든 자신의 선택으로 전통 복장을 입는 이슬람교도 여성들이 설 자리를 갈수록 없애 버리고 있다는 뜻이다. 중요한 것은 그들이 보기에 비주체적일지라도 여성들이 주체적으로 선택한 것은 지켜주어야 한다는 사실이다. 여성이 주체적으로 선택한 것마저 지켜주지 못하는 것은 그 어떤 것보다 못한 차별적 사회화 과정에 해당한다.

[문제 2] (가)의 입장에서 ㉠의 원인을 분석하고, (다)에 드러난 ㉡의 두 가지 폐해를 (라)를 활용하여 설명한 후, ㉢과 ㉣에 해당하는 사례를 (마)에서 찾아 서술하시오. (50점, 750±50자)

(가)

전통적 경제학에서는 전형적인 인간형으로 호모 에코노미쿠스(Homo economicus)를 설정한다. 호모 에코노미쿠스가 지니고 있는 유일한 관심은 물질적 측면이고, 그는 오직 물질적 동기에 의해 움직인다. 한마디로 호모 에코노미쿠스는 자신의 이익을 합리적으로 추구하는 존재이다.

이러한 합리적 인간을 창조한 사람은 공리주의 철학의 원조인 벤담이다. 벤담이 생각한 합리적 인간은 언제나 자기의 쾌락을 추구하고 고통을 회피하려고 한다. 또한 합리적 인간은 효율성을 추구한다. 여기서 효율성이란 최소의 비용으로 최대의 성과를 얻는 것을 의미한다. 공리주의에 따르는 의사 결정은 기본적으로 비용과 이익을 계산하는 것에서 출발한다. 즉, 공리주의는 대안들을 분석하고, 각 대안의 비용과 이익을 평가한 후, 비용과 대비해 최대의 이익을 산출하는 대안을 선택할 것을 제안한다. 따라서 합리적 선택을 위해서는 개인이 그 선택으로 인한 편익과 비용을 정확히 파악할 수 있어야 하지만, 현실에서는 각자가 보유하고 있는 정보의 격차 때문에 그것이 불가능한 경우가 많다. 이 때문에 정보 격차는 단순한 정보 불평등 현상에 그치는 것이 아니라 사회 양극화 문제로 이어질 수도 있다.

(나)

촌뜨기가 물었다.

"그래 그런 훌륭한 직업이 무엇인데, 어디 있어요?"

그자는 한 번 욕실을 휙 돌아다보고, 다른 사람들이 자기들의 대화에는 무심히 한구석에 앉았는 것을 살펴본 뒤에, 안심한 듯이, 비로소 목소리를 낮추며 입을 벌렸다.

"실상은 쉬운 일이에요. 내지(일본)의 각 회사와 연락해 가지고, 요보*들을 붙들어 오는 것인데…… 즉 조선 쿠리(꿈力) 말씀이에요. 노동자요. 하하하."

나는 여기까지 듣고 깜짝 놀랐다. **㉠ 그 가련한 조선 노동자들이 속아서, 지상의 지옥 같은 일본 각지의 공장으로 몸이 팔려 가는 것**이, 모두 이런 도적놈 같은 협작 부랑배의 술중(術中)에 빠져서 그러는구나 하는 생각을 할 제 나는 다시 한번 그자의 상판대기를 쳐다보지 않을 수 없었다.

"그래 조선 농군들이 가서, 그런 공사일을 잘들 하나요?"

"잘하구 못하는 것은, 내가 상관할 것 무엇 있소마는, 하여간 요보는 말을 잘 듣고 힘드는 일을 잘하는 데다가 임은(賃銀)*이 헐하니까, 안성맞춤이지. 그야 처음 데려갈 때는 품삯도 많고, 일은 드러누워서 떡 먹기라고 푹 삶아야 하긴 하지만, 그래도 갈 노자며, 처자까지 데리게 가게 하고, 게다가 빚까지 갚아주는 데야 제 아무런 놈이기로 안 따라나설 놈이 있겠소. 한번 따라나서기만 하면야, 전차(前借)*가 있는데, 그야말로 독 안에 든 쥐지. 일이 고되거나 품이 헐하긴 고사하고 굶어 뒈진다기루 하는 수 있나…… 하하하."

벌써 부하가 되었다는 듯이, 득의만면하여 모집 방법의 비술까지, 도도히 설명해 주고 앉았다.

*요보 : 일제 강점기에 일본인들이 한국인을 낮추어 부르던 말.
*임은(賃銀) : 임금. 근로자가 노동의 대가로 사용자에게 받는 보수.
*전차(前借) : 뒷날에 받을 돈을 기일 전에 당겨 씀.

(다)

시장에서 자원의 효율적 배분이 이루어지려면 거래에 참여하는 당사자들이 관련 정보를 동등하게 획득하고, 활용할 수 있어야 한다. 그러나 현실 거래에서는 거래 당사자들이 가진 정보의 양과 질이 달라 정보 격차가 발생하기도 하는데, 이를 ⓒ **정보의 비대칭성**이라고 한다.

정보의 비대칭성으로 인하여 거래에 참여한 사람들이 합리적인 의사 결정을 하지 못하는 역선택이 발생할 수 있다. 중고차 시장에서 중고차를 판매하는 사람은 그 차량의 결점을 잘 알지만, 구매자는 상대적으로 정보가 부족하다. 시장에는 다양한 품질의 차량이 존재하는데, 판매자는 자신이 파는 차의 품질에 비례하여 가격을 받으려 하고, 소비자는 품질을 모르기 때문에 자신이 결함이 많은 차를 사지 않을까 우려하여 시장의 평균 가격에 차량을 구매하려고 한다. 이 상황에서는 품질이 좋은 중고차를 가진 사람은 낮은 가격 때문에 중고차 시장에서 이를 팔려고 하지 않는다. 그 결과 중고차 시장에서는 상대적으로 낮은 품질의 중고차만 판매되고, 판매자와 구매자 간 충분한 거래가 일어나지 않는다.

정보의 비대칭성은 도덕적 해이를 가져오기도 한다. 금융 기관에서 상환 능력이 없는 사람에게 자금을 쉽게 대출해 주게 되면 그러한 사람들은 더욱 자주 금융 기관에서 대출을 받게 되고 이는 금융 기관의 손해로 이어지게 된다.

이처럼 정보 비대칭성으로 인하여 자원이 비효율적으로 배분되면 시장 실패가 발생하기 때문에 이를 개선할 필요가 있다. 정보의 비대칭성을 개선하기 위하여 정보가 부족한 쪽이 거래 대상에 대한 정보를 캐내기 위해 하는 행동을 ⓒ **선별(screening)**이라고 하고, 정보가 많은 쪽이 정보를 알리기 위해 하는 행동을 ⓔ **신호 발송(signaling)**이라고 한다. 예를 들어, 채용 시장에서 구인 회사들은 필기시험, 서류 심사, 면접 등을 통해 다양한 능력을 갖춘 구직자 중 적절한 인력을 선별하려 하고, 구직자들은 자격증, 경력 등을 제시하여 자신의 근로 능력을 드러내기 위한 신호를 발송한다.

(라)

보험은 화재 . 질병 . 사고 등 미래에 발생할 수 있는 위험에 대비하기 위하여 보험사에 보험료를 납부하여 기금을 만든 후 해당 사고를 당한 사람에게 보험금을 지급하는 위험 대비 금융 상품이다. 생명 또는 신체에 생길 우연한 사고에 대비하는 인보험(人保險)과 개인의 물건, 재산 등의 경제적 손실을 보상하기 위한 손해 보험(損害保險)이 대표적이다.

보험 시장에서 보험 상품에 가입하려는 사람은 자신이 사고 위험이 높은 사람인지 그렇지 않은 사람인지 잘 알고 있지만, 보험 회사는 이를 구분하기 어렵다. 결국 보험 회사는 평균적인 가격을 책정할 수밖에 없으며, 사고 위험이 낮은 사람은 보험에 가입하지 않고 사고 위험이 높은 사람만 보험 상품에 가입하게 되어 보험회사는 손해를 보게 된다. 또한 보험 상품에 가입한 사람은 사고에 따른 보상을 받을 수 있기 때문에 사고 예방을 위한 노력을 소홀히 할 수 있다. 이는 보험 회사가 계약 당시 보험 가입자의 향후 행동을 예측하기 어렵고, 가입자가 사고를 예방하려고 노력하는지 여부를 알 수 없기 때문이다.

보험 시장에서 이와 같은 문제들이 나타나면 사회적으로 필요한 보험 상품이 제공되지 않게 되며, 보험 시장 자체가 완전히 사라져 버릴 수도 있다. 따라서 보험 회사는 보험에 가입하고자 하는 사람에게 신체검사를 요구하는 것, 가입자의 과거 병력을 조회하는 것, 과거의 교통사고 통계를 근거로 보험료를 차등 적용하는 것 등으로 정보의 비대칭성 해소를 위하여 노력한다.

(마)

금융 거래는 증서를 받고 돈을 융통하는 거래이기 때문에 다른 재화나 서비스의 거래와 달리 위험한 요소를 많이 지닌다. 따라서 금융 거래에서 발생하는 다양한 문제를 예방하고 대처하기 위하여 여러 가지 제도적 장치가 마련되어 있다.

자산 관리를 위해 금융 상품에 투자하는 궁극적인 목적은 수익 추구이기 때문에 소비자 입장에서는 높은 수익을 기대할 수 있는 상품을 선택하는 것이 중요하다. 하지만 수익이 높은 상품은 위험성이 높거나 유동성이 낮을 수 있으므로 그 내용을 꼼꼼하게 살펴봐야 한다. 자신의 재무 상태, 각종 금융 상품에 대한 정보, 금융 거래 약관 등을 정확히 파악하고 거래에 나서야 한다. 그런데 금융 상품의 내용에 대한 설명이나 금융 거래에 사용되는 약관은 대부분 전문적인 용어로 작성되어 있어 전문 지식이 부족한 일반 소비자는 그 내용을 정확하게 이해하기 어려울 수 있다. 따라서 금융 기관이 금융 상품의 내용이나 약관의 중요한 내용을 고객에게 설명하는 설명의무 제도가 운용되고 있다. 금융 기관도 역시 상환 능력이 없는 사람에게 자금을 대출해 주어 정해진 기일에 원금이나 이자를 받지 못할 수도 있으므로 대출 시 신용점수 조회 제도를 활용한다. 그밖에 금융 기관이 영업 정지나 파산 등으로 자금 공급자의 예금을 지급하지 못하는 경우에 예금보험공사가 일정한 금액을 책임지고 환급하는 예금자 보호 제도와 전화 금융 사기에 속아 입금한 경우 피해금이 들어 있는 계좌를 지급 정지하고 일정한 절차에 따라 돈을 피해자에게 다시 돌려주는 전화 금융 사기 피해금 환급 제도도 금융 거래의 안전을 보호하기 위한 제도이다.

【1번】 답안   (반드시 해당 문제와 일치하여야 함)

40

80

120

160

200

240

280

320

360

400

440

이 줄 아래에 답안을 작성하거나 낙서할 경우 판독이 불가능하여 채점 불가

99

																				480
																				520
																				560
																				600
																				640
																				680
																				720
																				760
																				800

【2번】 답안　　(반드시 해당 문제와 일치하여야 함)

40

80

120

160

200

240

280

320

360

400

440

																480
																520
																560
																600
																640
																680
																720
																760
																800

7. 2023학년도 광운대 모의 논술

[문제 1] (가)의 'A씨'와 'B씨'의 대답의 근거를 (나)의 내용을 활용하여 설명하고, (다)의 ⓐ을 'B씨'의 관점에서 서술한 다음, ⓑ의 이유를 (다)에서, 해결 방안을 (라)에서 찾아 논술하시오. (50점, 750±50자).

행복해 보이는 표정의 주인공 주위에 여러 사람들이 있다. 첫 번째 그림에는 주인공 주변 사람들이 행복한 표정을, 두 번째 그림에는 주인공 주변 사람들이 불행한 표정을 짓고 있다. **A씨**는 두 그림 모두 주인공이 행복하다고 대답한 반면, **B씨**는 첫 번째 그림 속 주인공만 행복하다고 대답했다.

(나)

개인주의 문화권에서는 인간이 중심이 되어 자연을 대상화하고 이를 관찰한다. 여기서는 인간을 자연과 분리하여 분석적으로 이해하려는 경향이 있다. 이러한 관점에서는 자연과 다른 인간의 본성으로서 이성을 강조하였으며, 이성적 능력을 발휘함으로써 인간다운 삶을 살 수 있다고 보았다. 개인주의 문화권에서는 자기 자신을 개별적이고 고유하고 다른 자아와 주변 환경에 영향을 미치고 자유롭고 평등한 존재라고 생각한다. 이들은 자신이 자율적이고 독특한 개별성을 가진 타인과 구분되는 존재라고 인식하기 때문에 자신만의 독특한 권리, 요구 등을 드러내는 태도와 행동을 하려는 경향이 있다.

이에 비해 집단주의 문화권에서는 자연과 인간이 상호 의존적으로 연결되어 균형과 조화를 이루는 관계에 있다고 생각한다. 인간이 자연의 일부로서 자연의 질서에 순응하고 동참하며, 자연과 하나되어 조화로운 삶을 살아갈 것을 강조한다. 이는 인간과 자연이 하나의 생명처럼 연결되어 있다는 유기체적인 세계관이 반영된 것이라 할 수 있다. 인간과 자연을 더불어 살아가는 존재로 여기듯, 인간은 사회 속에서도 타인과 더불어 살아가는 존재이다. 이러한 특성은 자신이 속한 공동체 내에서 구성원들 간의 관계를 매우 중시하는 형태로 나타난다. 집단주의 문화권에서는 자신을 관계지향적이고 다른 자아들과 비슷하고 주변 환경에 적응하고 전통을 따르고 의무를 다하며 질서 속에서 살아가는 존재라고 본다. 이러한 공동체 의식은 가족 내에 머무는 것이 아니라 사회 전체로 확대되어 개인 및 집단간의 조화, 공동체의 번영을 추구하는 의식으로 나타난다.

(다)

  ㉠ <u>**유행이 우리 사회에 만연해 있다.**</u> 유행은 한편에서는 동등한 위치에 있는 사람들과의 결합을 의미하고, 다른 한편에서는 그보다 낮은 신분의 사람들에 대한 집단적 폐쇄성을 의미한다. 유행은 한편으로 그것이 모방이라는 점에서 사회에 대한 의존 욕구를 충족한다. 다시 말해 유행은 개인을 누구나 다 가는 길로 안내한다. 유행의 경우 관계의 힘에 더 좌우될수록 개인의 자유 의지가 집단의 주된 흐름으로부터 분리되기 어렵다. 무언가가 대중에게 많은 인기를 얻고 회자되기 시작하면 그것을 갖지 않은 사람은 유행에 뒤처진 것처럼 여겨지고, 유행하는 제품을 사고 나면 최소한 남들로부터 뒤떨어지지 않았다는 안도감을 느끼게 된다.

  다른 한편 유행은 차별화 욕구를 만족시킨다. 다시 말해 구분하고 변화하고 부각하려는 경향을 만족시킨다. 이는 유행의 내용이 변화하면서 현재의 유행은 어제나 내일의 유행과 다른 개별적 특징을 갖게 된다는 사실뿐만 아니라 유행이 언제나 계층적으로 분화한다는 사실에도 입각한다. 상류층의 유행은 그보다 신분이 낮은 계층의 유행과 구분되고 낮은 신분의 계층에 동화되는 순간 소멸한다는 사실은 이를 입증해 준다.

  그러나 근본적으로 개성 즉 자아가 강한 사람들은 약한 사람들에 비해 유행에 덜 민감하다. 다시 말하자면 이는 곧 ㉡ <u>**자아가 약한 사람들이 유행에 더 민감하다**</u>는 의미이다. 유행을 따르는 것은 자아가 약하고 낮은 자존감을 지닌 사람들이 자신의 욕망에 따라 주체적으로 움직이지 못하고 유행에 선동되는 모습을 보이는 것이다.

  자존감은 개인이 자신에 대해서 가지고 있는 평가이다. 만일 개인이 스스로가 마음에 들어 자신에 대해 좋은 평가를 내린다면 그 사람은 자기 자신에 대해 긍정적인 정서를 느끼게 되고 이는 높은 자존감으로 이어진다. 그러나 만일 스스로를 부정적으로 평가하고 있다면 이는 자기에 대한 불만족으로 이어져 낮은 자존감을 형성하게 되고, 그 사람은 실망과 좌절을 경험한다. 이때 사람은 자기를 고양하여 앞서 경험한 실망과 좌절을 극복하려 하는데 이 경우 비교적 쉽게 자아를 고양시킬 수 있는 것이 유행을 따르는 동조 소비이다. 자신을 빛나게 해 주는 물건을 소유하면 자존감이 올라가기 때문에 사람들은 소비를 통해 자신이 더 나은 사람이라고 생각하고 싶어 한다.

(라)

  스토아 학파에 따르면 우리를 둘러싼 외적인 것들은 이미 이성의 법칙에 따라 결정되어 있으므로 우리의 의지대로 바꿀 수 없다. 그리고 쾌락, 아름다움, 부, 명예나 이와 반대되는 고통, 추함, 가난, 나쁜 평판 등은 모두 우리의 행복과 무관하므로 그것들에 우리의 마음이 좌우되지 말아야 한다고 보았다.

  스토아 학파는 행복의 기초를 우리의 의지대로 바꿀 수 있는 내면에서 찾아야 한다고 보았다. 우리를 선한 사람으로 만들어 주는 것은 우리의 삶에서 성취한 것이 아니라 태도나 행위의 동기와 같이 우리의 내면에 있는 것이라고 보았기 때문이다. 사람들은 행복과 무관한 것들에 마음을 빼앗겨 동요하게 되는데, 이는 정념이 이성을 가리기 때문이라고 하였다. 또 그들은 사람들이 정념에 빠지면 근거 없는 기쁨과 슬픔, 공포 등에 사로잡히고 이성적 판단이 흐려져 잘못된 생각이나 태도를 가지게 된다고 하였다. 그래서 스토아 학파는 정념의 지배에서 벗어나야 한다고 강조하였다. 그들은 정념이 없는 상태를 아파테이아라고 하였는데 이는 어떠한 외부 상황에도 동요하지 않는 정신의 의연함을 뜻한다. 스토아학파는 아파테이아의 상태에 도달하는 것을 이상으로 삼아 이성과 자연법을 따르는 평온한 삶을 지향하였다.

한 개인은 끊임없이 외부와 영향을 주고받는다. 그리고 외부의 힘은 한 개인의 힘을 넘어서는 것처럼 보인다. 현실 권력의 힘, 주변의 상황 등이 언제나 각 개인의 삶의 방향을 결정하는 것처럼 보이기 때문이다. 그러나 맹자는 어떤 사람들은 외부의 조건에도 불구하고 흔들림 없이 자신의 길을 가는데 이러한 태도를 마음이 동요하지 않는 것, 즉 부동심이라는 말로 요약한다. 마음과 감각 기관의 관계에 대한 맹자의 설명은 큰 몸과 작은 몸의 관계에서 출발한다. 귀나 눈과 같은 작은 몸은 수동적이다. 작은 몸은 외부의 자극이 주어지면 그대로 끌려간다. 이는 작은 몸이 개인의 의지로는 어떻게 할 수 없는 상황들에 영향을 받을 수 있기 때문이다. 그러나 마음은 이와는 반대로 움직인다. 마음은 외부에 의해 추동되는 것이 아니라 감각 기관의 활동과 달리 행위자 자신의 의지에 따라 결과를 얻게 되어 있다.

작은 몸은 수동적이기 때문에 외부에 의해 끌려갈 수 있으며, 큰 몸 즉 마음에 이끌려 갈 수 있다. 작은 몸인 감각 기관이 외부 대상에 끌려가 무절제하게 욕망에 탐닉하게 되는 경우 그 책임은 마음에 있다. 이는 각 개인이 저지르는 악의 기원과 그 책임의 소재를 말해 준다. 언뜻 보기에 각 개인이 저지르는 악은 감각 기관의 활동으로 발생하는 것처럼 보이지만, 실제로는 마음이 제 역할을 하지 않았기 때문에 생겨난다. 우리 몸에 무언가 있기 때문에 악을 저지르는 것이 아니라 마음이 무언가를 하지 않았기 때문에 악을 저지르게 되는 것이다. 마음이 제 역할을 해 나갈 때, 마음은 눈, 코, 혀, 피부 등의 오관과 같은 몸의 다른 부분들을 이끌어 각 개인을 책임감 있는 존재로 형성해 가게 한다. 마음의 활동에 감각 기관의 활동도 따라 가게 되어 있는 것이다.

[문제 2] ⊙과 ⓛ의 관점에서 ⓒ을 설명한 후, ⓒ을 해결하기 위한 방법을 (다)와 (라)를 참조하여 각각 서술하시오. (50점, 750±50자)

(가)

　사회 불평등 현상을 바라보는 관점은 ⊙ **기능론**과 ⓛ **갈등론**의 두 가지가 있다. 기능론에 서는 사회 불평등 현상을 사회적 희소 자원이 개인의 능력과 노력, 사회에 기여하는 정도에 따라 합리적으로 분배된 결과라고 본다. 이 관점에서는 사람들이 하는 일은 기능적 중요도가 다르고, 사회적으로 중요한 일을 담당할 수 있는 사람의 수는 제한되어 있으며, 개인의 능력과 노력이 그 사람의 성공에 결정적 영향을 비친다고 본다. 사회적으로 중요한 일을 맡은 사람에게 큰 보상이 주어지므로 개인들이 열심히 노력하게 되며, 사회 구성원들은 그러한 차등 보상을 공정한 것으로 여긴다. 즉, 기능론에서는 개인의 능력이나 사회적 기여도에 따른 차등 분배로 인한 불평등은 구성원들의 성취동기를 높이고, 인재를 적재적소에 배치하게 되므로, 사회 유지와 발전을 위해 불가피한 것으로 본다.

　갈등론에서는 사회 불평등 현상을 지배 집단이 자신의 기득권을 유지하기 위해 사회적 자원을 불공정하게 분배한 결과라고 본다. 이 관점에서는 사회적 희소 자원이 개인의 능력이나 노력보다는 권력이나 기득권의 사회·경제적 배경과 같은 요인에 의해 차등 분배된다고 본다. 사회 불평등은 지배 집단의 권력 및 강제에 의한 것으로, 기존의 불평등한 계층 구조를 재생산하게 된다고 본다. 또 사회 구성원들이 각자의 능력을 최대한 발휘할 수 있는 기회를 제한하고, 나아가 집단 간 대립과 갈등을 발생시키는 요인이라고 본다. 따라서 갈등론에서는 사회 불평등 현상은 불공정한 것이므로 사회 구조의 근본적 개혁을 통해 해결해야 할 대상으로 본다.

(나)

　미국에서는 공식적으로 노예 제도가 폐지된 후에도 ⓒ **흑인에 대한 차별**을 지속하였다. 특히 남부 지역에서 인종 차별 문제가 심각했는데, 이러한 차별은 1870년대부터 1960년대 초까지 시행된 소위 「짐 크로(Jim Crow)법」이라고 불리는 법들에 의해 정당화되었다. 「짐 크로법」은 공공 기관 등에서 인종을 분리하여 흑인을 합법적으로 차별할 수 있게 한 여러 가지 법들을 가리킨다. '짐 크로'는 어리숙한 흑인을 희화화한 쇼에 등장하는 인물의 이름으로부터 유래했다. 백인보다 교육 수준도 낮고 경제적 능력도 부족하기 때문에 흑인을 만만한, 어리숙한 사람으로 본 것인데, 이런 시각은 다시 흑인을 저임금의 육체 노동에만 합당한 사람으로 인식하게 만들었다. 더 큰 문제는 인종 분리와 차별을 제도화한 법들로 인해 흑인은 백인과 동등하게 교육을 받을 수 없어 고급 인력이 될 길이 원천적으로 차단당했다는 사실이다. 그 결과 흑인은 선거에 참여하지 못했을 뿐만 아니라 버스나 화장실 등 일상생활 공간에서조차 차별을 받았다.

　흑인들은 「짐 크로법」에 따른 통치에 저항하였다. 1896년 호머 플래시(Plessy, H.)는 열차의 백인 차량에 탑승하여 흑인 차량으로 이동하라는 명령을 거부하였다. 이 사건이 계기가 되어 인종을 분리하고 차별하는 법이 연방 대법원의 심사를 받게 되었지만, 연방 대법원은 '분리하되, 평등하면' 합헌이라는 판결을 내림으로써 차별을 정당화하였다.

(다)

제도적 차원에서 차별 예방이나 교정에 실효적 기능을 담당하는 것은 '법'이다. 아직 충분하지는 않지만 우리도 그런 법 조항을 갖고 있다. 우리나라의 헌법 제11조 제1항에는 "모든 국민은 법 앞에서 평등하다. 누구든지 성별, 종교, 또는 사회적 신분에 의하여 정치적·경제적·사회적·문화적 생활의 모든 영역에 있어서 차별을 받지 아니한다."라고 명시되어 있다. 여기서 말하는 '성별, 종교, 또는 사회적 신분'은 수많은 차별 사례 중 몇 가지만을 예로 든 것이다. 국가인권위원회에서도 차별 금지에 관해 상당히 넓은 범위의 영역을 이미 규정해 놓고 있는데도 차별은 쉽게 사라지지 않고 있다. 왜 그럴까? 차별을 막는 법 조항이 있음에도 차별이 존재하는 이유는 그 법을 해석, 적용, 시행하는 과정에서 문제점이 있기 때문이다.

이런 시각에서 보면, 차별을 막기 위해서는 직접적으로 차별 금지 소송을 하는 것이 중요한 출발점이 될 수 있다. 다양한 차별 행위가 있을 때마다 피해자들이 소송을 하고, 단돈 십만 원이라 할지라도 손해 배상금을 받아 내는 일이 이어진다면, 서서히 의미 있는 변화가 나타날 것이다. 차별 철폐와 관련된 소송들이 계속되면 저력 있는 우리 시민들은 차별 금지와 평등의 의의를 빠르게 학습할 것이다. 이를 통해, 말뿐인 의식 개혁이 아니라 생활 속에서 자연스럽게 배워 나가는 의식 개혁이 이루어질 수 있다. 또한 차별 철폐 소송을 하는 전문 변호사들이 앞서 언급한 바와 같이 기존 법 체계의 한계에 자꾸 부딪히면 이를 해결할 새로운 법률의 제정을 준비하게 될 것이고, 그 새로운 법을 만드는 과정에서 시민들의 의식은 더욱 향상될 것이다. 새 법을 시행해 나가다가 다른 한계에 부딪히면 또 새로운 법률 제정 운동이 나타날 것이다. 이런 건전한 순환 구조 안에서 시민의 삶과 우리의 법체계는 함께 발전할 수 있다.

(라)

하버마스(Jürgen Habermas)는 민주적인 법치 국가에서는 합법성이 곧 정당성을 보장하는 것은 아니므로 시민에게 법에 대한 절대적 복종을 요구할 수 없다고 주장한다. 나아가 그는 합법적인 규정이라도 정당성을 판단하는 기준인 헌법 원칙에 어긋나는 때에 시민 불복종의 가능성이 발생한다고 본다. 시민 불복종은 그 자체로서 합법화될 수는 없지만, 사람들은 민주적 법치 국가의 정당성을 수호하기 위해 위험을 무릅쓰고 시민 불복종을 행해야 한다고 주장했다. 그래서 검사나 판사가 시민 불복종의 가치를 존중하지 않고 이들을 범죄자로 보고 통상적인 처벌을 내린다면 권위주의적 합법주의에 빠지고 만다고 본 것이다. 이런 점에서 그는 시민 불복종을 정당하지 않은 규정을 수정하거나 개혁할 수 있는 마지막 가능성이라고 생각하고, 성숙한 정치 문화를 구성하는 필수적인 요소로 본다.

하버마스가 공론장(公論場)을 강조한 것도 이 때문이다. 공론장이란 근대 사회에서의 공적 논쟁과 토의의 장을 말한다. 하버마스는 공론장이 민주적 참여와 민주적 과정에 필수적인 것이라고 말했다. 그러나 근대사회에서 민주적 토론은 문화 산업의 발달에 의해 억제되었고, 이로 인해 공적 영역이 쇠퇴했다고 보았다. 공적 영역의 토론을 통해 만들어진 시민 불복종은 다수의 통찰력과 정의감에 호소할 의도에서 비폭력적인 방법으로 이루어져야 하는데, 여기서 전제는 다수의 공감대를 만들어내야 한다는 것이다. 결국 시민 불복종의 기본은 다수의 대중이 공감해야 한다는 사실이다.

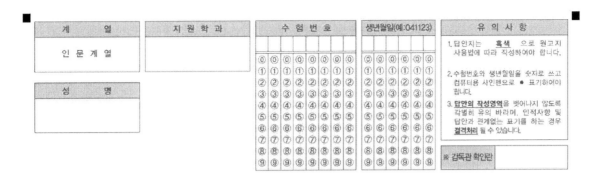

【1번】 답안	(반드시 해당 문제와 일치하여야 함)

40

80

120

160

200

240

280

320

360

400

440

이 줄 아래에 답안을 작성하거나 낙서할 경우 판독이 불가능하여 채점 불가

480

520

560

600

640

680

720

760

800

【2번】답안 (반드시 해당 문제와 일치하여야 함)

40

80

120

160

200

240

280

320

360

400

440

480

520

560

600

640

680

720

760

800

8. 2022학년도 광운대 수시 논술 1

[문제 1] ㉠에 대해 (가)와 (다)의 관점을 대비시켜 서술하고, ㉢의 근거를 (나)의 내용을 활용하여 설명한 다음, ㉡의 주장을 (라)의 내용을 활용하여 비판하시오. (50점, 750±50자)

(가)

 지식이나 규범은 그 자체로서 가치를 지니는 것이 아니라 문제를 해결하거나 삶을 개선하고 향상하는 데 이바지할 때 가치를 지닌다. 어떤 지식이나 규범이 참인지 또는 옳은지는 실제적 유용성에 따라 판단해야 하는 것이다. 어떤 것이 경험과 관찰을 통해 유용한 결과를 가져오는 것으로 검증되면 그것은 진리로 수용된다.

 실용주의자인 제임스는 지식이나 규범이 실제적 유용성을 지닐 때 가치가 있다고 보았다. 그는 자신의 관점을 다음과 같이 언급하였다. "진리의 소유는 그 자체가 목표이기는커녕 다른 필수적인 만족을 위한 예비 수단일 뿐이다. 만일 내가 숲에서 길을 잃고 굶주리다가 소가 다니는 길처럼 보이는 것을 발견한다면 가장 중요한 것은 내가 그 길 끝에 있는 집을 생각해야 한다는 것이다. 왜냐하면 내가 그렇게 해서 그 길을 따라간다면 살아날 수 있기 때문이다. 여기서 내 생각이 참인 이유는 그 대상인 집이 유용하기 때문이다. 따라서 참된 관념의 가치는 일차적으로 그 대상이 우리에게 실질적으로 중요하다는 데에서 나온다. (…중략…) 여러분은 ㉠ **진리**에 대해 '그것이 참이기 때문에 유용하다.' 아니면 '그것이 유용하기 때문에 참이다.'고 말할 수 있을 것이다."

(나)

 토마스 쿤의 『과학 혁명의 구조』는 1962년에 세상에 나오자마자 패러다임이란 말을 유행시켰다. 패러다임은 현재 사회 전반에서 일상적인 용어로 익숙해져 있다. 패러다임이란 한 시대 특정 분야 학자들이나 사회가 공유하는 이론이나 법칙, 지식 체계, 가치를 의미하는 말이다. 넓게는 시대의 주류적 가치관이나 사고방식을 의미하기도 한다. 예를 들면 고대부터 중세에 이르기까지 태양이 지구를 중심으로 돈다고 생각하는 천동설이 지배하던 시대에 지구가 태양을 중심으로 돈다는 지동설이 등장한 것은 패러다임의 코페르니쿠스적 전환이라 볼 수 있다.

 모든 과학 활동은 패러다임에 의해 규정된다. 사회 집단도 마찬가지로 시대적 패러다임에 의해 사고의 틀이 제한을 받는다. 그래서 과학은 절대적 진리가 아니라 시대적 이념의 틀에 규정되고 제한을 받는다는 주장이다. 항시 당대를 지배하는 이념은 사실의 수집이나 관찰조차 제한하고 인식의 기준을 강제하기 때문에 경우에 따라서는 과학자들이 침묵하거나 과학적 진실조차 왜곡하기도 한다.

 새로운 진실이 거짓을 이기고 새 패러다임으로 전환하는 것은 상당한 시간 동안 더 많은 관련 진실이 봇물처럼 쏟아지고 난 후에도, 시대적 편견의 혹독한 공격으로 희생을 치른 후에야 가능하다. 즉 패러다임의 전환은 매우 더디고 어려운 사회적 과정을 거쳐야 한다. '기존 패러다임 → 패러다임의 위기 → 새로운 패러다임'의 과정을 거치게 된다. 이를 과학 혁명이라 부른다.

(다)

 과학자가 현 단계에서 분명하지도 않은 미래의 윤리 문제를 걱정한다면 현재 연구가 낳을 수 있는 무한한 가능성을 스스로 훼손할 수 있다. 과학의 특징은 미래의 무한한 가능성을 지금은 예측하기 어렵다는 것이다. 1950년대에 생물학자들이 유전자의 구조가 이중 나선이라는 것을 밝혀냈을 때, 지금과 같은 바이오 혁명을 예견하지 못했다. 원자 폭탄을 개발한 오펜하이머는 "ⓒ **내가 원자 폭탄을 만든 것은 사실이지만 원자폭탄의 사용에 관한 결정은 정치인이 내린 것이며, 나는 맡은 바 임무에 충실했을 뿐이다.**"라고 언급한 바 있다.

 과학 기술 그 자체는 선도 악도 아니므로 윤리적 평가의 대상이 아니며, 과학 기술을 연구 발전시키는 데 윤리가 개입해서는 안 된다. 과학 기술은 정당화 과정을 거치면서 객관적 타당성이 있는 원리나 지식으로 확립된다. 이때 연구자의 주관적 감정이나 가치 판단이 개입되면 과학 기술의 객관적 타당성을 확보하기 어려우므로 과학 기술의 가치 중립성을 보장해야 한다. 여기서 강조하는 가치 중립이란 ⓒ **사실과 가치를 분리해야 한다는 것**이다. 즉 연구자는 존재하는 현상을 객관적으로 연구해야 하고 현상 자체를 주관적으로 평가하여 좋거나 나쁘다는 결론을 내려서는 안 된다.

(라)

 요나스는 책임의 개념을 두 가지 의미로 구분한다. 하나는 인간이 이미 행위한 것에 대한 책임이며, 다른 하나는 인간이 지속적으로 행위되어야 할 것에 관한 미래의 책임이다. 행위자는 자신이 이미 행위한 것에 책임을 져야 한다. 비록 원인이 악행이 아니었다 할지라도, 그리고 결과가 예견된 것도 아니고 의도된 것도 아니라고 할지라도 저지른 피해를 보상해야만 한다. 그러나 이는 책임 소재가 분명하고, 결과가 예측할 수 없는 영역으로 사라지지 않을 정도로 행위와 밀접한 인과적 관계가 있을 때에만 그렇다.

 그런데 이미 행해진 것에 대한 사후적 책임 부과와 관련되지 않고 행위되어야 할 것의 결정과 관련된 책임이 있다. 이에 따르면 나는 나의 행동과 그 결과에 관해 책임 있다고 느끼는 것이 아니라 나의 행위로 인해 앞으로 발생할 사태에 관해 책임이 있다고 느낀다. 책임의 대상은 나의 밖에 놓여 있기는 하지만 나의 권력에 의존하고, 또 나의 권력에 의해 위협을 받기 때문에 나의 권력의 작용 영역 안에 있다. 권력은 나의 것이고 이 사태에 대한 인과적 관계를 가지고 있는 까닭에 결과인 사태는 나의 것이 된다. 오늘날 필요한 책임의 윤리에 관해 말하자면, 우리는 이러한 종류의 책임과 책임감을 말하는 것이지, 자신의 행위에 대한 모든 행위자의 형식적이고 공허한 책임을 말하는 것이 아니다.

[문제 2] ㉠을 (나)를 바탕으로 설명하고, (라)를 활용하여 ㉡을 (다)의 대응 방식에 따라 서술하시오. (50점, 750±50자)

(가)

 현재와 같은 수준으로 자원을 소비하고 오염 물질을 계속 배출한다면, 한정된 자원이 점점 고갈되고, 환경 오염은 지구의 자정 능력을 넘어설 정도로 심각해질 것이다. 기후 변화는 환경 오염 문제의 전 지구적 성격을 가장 잘 드러내는 영역이다. 기후 변화는 기후가 평균 수준을 벗어나는 것으로, 산업화와 도시화로 인한 각종 공해 물질의 발생과 온실가스 배출 증가 등으로 발생한다.

 최근 급격한 기후 변화로 홍수나 가뭄, 물 부족과 수질 악화, 열대 질병 확산, 극지방의 해빙 등이 나타나고 있다. 또한 기후 변화는 생물 종의 감소와 생태계 먹이사슬 붕괴 등 생태계 파괴에 영향을 미치며, 식량 생산량을 감소시키는 사막화 현상은 물론 해수면 상승으로 인한 환경 난민의 증가 현상 등의 원인이 되고 있다. 궁극적으로 인간을 포함한 모든 생물체가 생존을 위협받을 수 있다. ㉠ **기후 변화 문제**를 해소하려면 기후 변화로 인한 문제의 심각성을 깨닫고, 다양한 관점에서 접근해야 한다.

(나)

 시장 실패는 시장에 의해 자원이 효율적으로 배분되지 못하는 현상으로 정의된다. 시장 실패가 나타나는 요인으로 외부 효과와 공유 자원의 문제를 들 수 있다.

 우선, 외부 효과는 어떤 경제 주체의 경제 활동이 다른 사람에게 의도하지 않은 이익이나 피해를 주면서도 시장을 통해 그에 대한 보상이 이루어지지 않는 경우를 의미한다. 외부 효과가 발생하면 시장 실패가 나타난다. 외부 효과는 다른 사람에게 피해를 주지만 그에 대한 보상을 하지 않는 부정적 외부 효과와 다른 사람에게 이익을 주지만 그에 대한 보상을 받지 않는 긍정적 외부 효과로 나눌 수 있다.

 부정적 외부효과의 대표적 사례는 길거리 흡연이 주는 피해를 들 수 있다. 흡연자가 자기만의 공간에서 피우는 담배는 본인 건강을 스스로 담보하는 것이니 문제 될 것이 없다. 하지만 길거리의 간접흡연으로 인해 우연히 흡연자와 같은 길을 걷는 주변인들이 예기치 못하게 피해를 입게 된다.

 다음으로 어떤 재화나 서비스가 공유 자원의 특성을 지니는 경우에도 시장 실패가 나타날 수 있다. 우리가 값을 치르고 구입하는 재화나 서비스는 일반적으로 한 사람이 일정량의 상품을 소비하게 되면 다른 사람이 소비하는 몫이 줄어들게 되는데, 이런 특성을 소비의 경합성이라고 한다. 그리고 값을 치른 사람만 이 재화나 서비스를 배타적으로 사용할 수 있는데 이런 특성을 소비의 배제성이라고 한다. 돈을 내지 않은 다른 사람의 소비를 막을 수 있다는 의미이다. 일반적으로 우리가 사용하는 사적 재화는 경합성과 배제성의 특징을 지닌다.

 공유 자원은 한 사람이 사용하면 다른 사람이 사용할 수 있는 양이 줄어들어 소비의 경합성이 있지만, 원하는 사람이면 누구나 사용할 수 있어 소비의 배제성은 없다. 즉 공유 자원에 대한 소유권이 불분명하여 자원을 아껴 쓸 유인이 없기 때문에 자원이 과도하게 사용되는 경향이 있다. 이 때문에 공유 자원은 사회적인 측면에서 과다하게 사용되는 경향이 있고, 따라서 고갈되기 쉽다.

(다)

정부가 시장 실패에 대응하는 방식을 세 가지로 살펴볼 수 있다. 첫째, 정부는 외부효과에 따른 문제를 개선하기 위해 직접적이고 강제적인 방법을 통해 시장에 개입하기도 한다. 이는 부정적 외부 효과를 발생시키는 행위를 법적으로 금지하거나 경제 주체에게 경제 활동 과정에서 주변에 끼친 피해 비용을 강제로 포함하게 하는 방안이다.

둘째, 정부는 경제적 유인을 이용하여 경제 주체의 자발적 행동을 유도하기도 한다. 부정적 외부 효과를 발생시킬 수 있는 행위에 대해서는 세금을 부과하는 한편, 긍정적 외부 효과를 발생시키는 연구 개발과 같은 행위에 대해서는 보조금 지급, 세제 혜택 등의 유인을 제공한다. 왜냐하면 경제 주체들은 정부가 급격한 변화를 주도하는 강력한 정책보다는 자신의 이해를 대변하는 유인에 따라 움직이는 속성을 보이기 때문이다.

셋째, 정부가 시장에 대한 개입을 최소화하여 시장의 효율성에 맡기는 방식이다. 정부의 개입이나 규제가 언제나 좋은 결과를 가져다주는 것은 아니다. 정부가 발표하는 정책이 시장의 흐름과 상충할 수 있기 때문에 의도하지 않은 효과가 나타나 정부 실패가 발생할 수도 있다. 예를 들어 저소득층을 위해 주택 임대료를 규제한 결과, 임대 주택 공급자들이 임대 주택의 공급량을 줄여서 임대 주택을 빌리지 못하는 사람이 더 많아질 수 있다.

(라)

에너지 자원 종류		경제성 순위	온실가스 배출량 순위
화석연료	석탄	1	1
	석유	2	2
	천연가스	3	3
신·재생 에너지	풍력 에너지	4	4
	태양 에너지	5	5

[표 1] 에너지 자원에 대한 비교

모든 에너지원은 경제성과 친환경성의 측면이 상충하는 특징을 갖고 있다. [표 1]과 같이 경제적으로 효율적인 자원일수록 온실가스를 많이 배출하는 경향을 보인다.

그동안 화석연료는 세계 경제의 주요 동력원이 되어왔다. 석탄은 화석 연료 중 가장 먼저 상용화된 자원이고 산업 혁명기의 주요 동력원이었다. 석유는 자동차 등 운송 수단 외에도 각종 석유 화학 및 생활용품의 원료로 광범위하게 이용되고 있다. 천연 가스는 냉동 액화 기술의 발달로 운반과 저장이 편리해지면서 최근에 수요가 크게 늘고 있고, 석유와 비교하면 연소 시에 온실가스와 대기 오염 물질의 배출이 약 60% 수준이다. 이들 화석 연료가 연소하면서 배출하는 온실가스와 각종 대기 오염 물질은 기후 변화 문제의 주요 원인이 된다. 이러한 문제의 심각성을 인지하여 전 세계 국가가 ⓒ **온실가스 배출량을 감축하기 위한 노력**을 지속하고 있다.

　환경 문제를 해결하고 지속 가능한 발전을 위해서는 화석 연료의 사용을 감축하고 온실가스의 발생을 최소화하는 에너지원을 개발하는 것이 불가피하다. 대표적인 에너지 기술로서 풍력 에너지와 태양 에너지 기술이 있다. 풍력 에너지는 바람의 힘을 이용하여 전기를 생산하지만, 바람이 일정하게 부는 산간 지역이나 해안 지역에 건설해야 경제성을 확보할 수 있다. 태양 에너지는 일조량이 많은 지역에 설치해야만 에너지 생산의 경제성을 확보할 수 있다.

　신·재생 에너지는 에너지 효율이 낮고 전기 생산이 소규모로 이루어져 화석연료보다 경제성이 상대적으로 낮다. 즉 기업이 화석연료의 사용을 포기하고 당장 신·재생 에너지를 선택할 유인이 많지 않으므로, 정부가 신·재생 에너지 사용 비중만을 급격하게 높이는 정책만을 채택한다면 에너지 자원을 많이 사용하는 산업 자체가 위축될 수 있다. 이러한 부작용을 최소화하기 위해서는 기업이 기존 화석연료 에너지원 구조를 저(低)탄소 중심으로 개편할 때까지 정부는 기다려 주어야 한다.

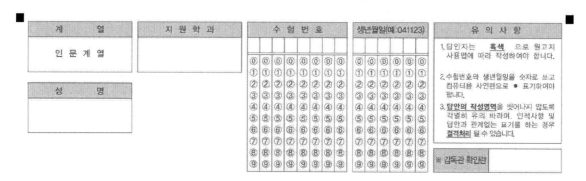

【1번】 답안　　(반드시 해당 문제와 일치하여야 함)

| | | | | | | | | | | | | | | | | | 40 |
| 80 |
| 120 |
| 160 |
| 200 |
| 240 |
| 280 |
| 320 |
| 360 |
| 400 |
| 440 |

이 줄 아래에 답안을 작성하거나 낙서할 경우 판독이 불가능하여 채점 불가

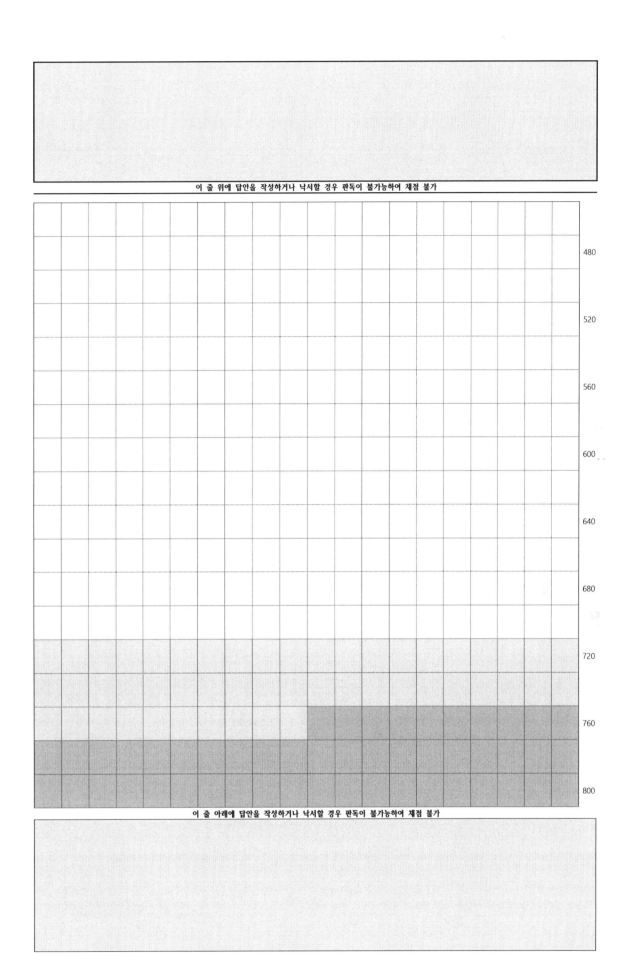

480

520

560

600

640

680

720

760

800

【2번】답안　(반드시 해당 문제와 일치하여야 함)

														40
														80
														120
														160
														200
														240
														280
														320
														360
														400
														440

480

520

560

600

640

680

720

760

800

9. 2022학년도 광운대 수시 논술 2

[문제 1] ⓒ을 ⓔ의 관점에서 비판하고, ⓓ의 근거를 (다)를 바탕으로 서술한 후, ⓕ의 차원에서 ⓐ을 평가하시오. (50점, 750±50자)

(가)

요즘 아이들의 출입을 금지하는 상점들이 크게 늘어나고 있다. 어린이 제한 구역, 일명 노키즈존(No kids zone)이 확산되고 있는 것이다. **ⓐ 노키즈존**은 어린이의 출입을 금지하는 업소를 가리키는 신조어이다. 성인 손님에 대한 배려와 영유아 및 어린이의 안전사고를 방지하기 위해 아동의 출입을 제한하는 업소를 칭한다. 2011년, 한 어린이가 뜨거운 물을 운반하던 종업원과 부딪쳐 화상을 입은 사건이 계기가 되었다. 법원은 식당 주인과 종업원이 치료비와 위자료 등 총 4,100여만 원을 배상하라고 판결했다. 이후 유사한 판결이 잇따르면서 노키즈존을 선택하는 업주들이 늘고 있는 추세인데, 정확한 규모를 파악하는 것은 쉽지 않지만, 노키즈존을 시행하는 매장의 사례는 주위에서 쉽게 접할 수 있다.

노키즈존이 늘어가는 원인은 매장에서 어린이가 사고를 내면 배상은 업주가 해야 한다는 이유만은 아니다. 아이들이 식당이나 카페에 와서 크게 소리치거나 울기 때문에 오랜만에 만난 지인과 편히 만날 수 없다는 입장도 있다. 이렇게 업주와 손님이 서로 원해서 노키즈존이 늘어가는 추세인데, 노키즈존에 대한 사람들의 의견은 크게 둘로 갈린다. **ⓑ 찬성 의견**을 보면, 자본주의 사회에서 손해를 감수하고라도 주인이 원하는 분위기의 상점을 만들려고 하기 때문에 이를 허용해야 한다는 의견, 돈을 내고 들어간 손님이 조용한 시간을 보낼 수 있는 권리를 제대로 누려야 한다는 의견 등이 있다. **ⓒ 반대 의견**을 보면, 노키즈존 자체가 어린이를 차별하는 구역이라는 의견, 아이는 물론 아이를 데려간 성인까지 출입을 금하기 때문에 명백한 헌법의 기본권 침해라는 의견 등이 있다.

노키즈존이라는 시설 자체가 아이를 문제의 소지가 있는 미성숙한 존재이며, 피하고 싶은 대상으로 바라본다는 것은 부정할 수 없다. 이 문제를 해결하기 위해서는, 개인적인 차원에서는 부모들이 자녀에게 공공 예절을 잘 가르치고, 자녀를 두지 않은 사람들도 아이들을 이해하려는 태도를 지녀야 하고, 사회적 차원에서는 이런 차별과 갈등을 줄여나가는 해결책을 마련해야 한다. 우리 모두가 서로 조금씩만 배려해 주고 이해해 준다면, 노키즈존은 필요하지 않다.

(나)

레비나스는 1906년에 리투아니아의 유대인 사회에서 태어난 프랑스 철학자이다. 그는 유대주의, 러시아 문학, 프랑스 문학, 독일 철학의 영향을 받았으며, 제2차 세계대전으로 아우슈비츠 수용소에서 가족을 모두 잃는 경험을 했다. 이 때문인지 레비나스는 타자를 나의 영향권 아래 종속시키기 위하여 전체주의 이념을 강요하는 것을 비판하면서 타자에 대한 윤리적 책임을 강조했는데, 윤리적 책임의 한 형태로 그는 "마음의 선물이 아니라 자신이 먹을 빵, 그 빵 한 입을 남에게 직접 주는 것, 또는 지갑을 여는 것을 넘어서 대문을 여는 것"인 ㉣ **타자 지향성**의 중요성에 대해 언급한 바 있다.

현대 사회에는 다양한 배경을 가진 사회적 소수자들이 존재한다. 하지만 사회적 소수자의 차별 문제는 자유와 평등이라는 권리 문제를 넘어 인간 이해에 바탕을 둔 인간적 삶에 대한 것이자 바람직한 사회상에 관한 것으로, 평화롭게 공존해야 한다는 당위적 해결보다는 인간 자체에 대한 근본적인 철학이 필요하다.

레비나스의 타자 지향성은 자기 자신에게 전념하기보다는 다른 사람을 받아들이고 환대하는 것을 의미한다. 이는 자기 자신을 우선적으로 생각하는 인간에서 다른 사람에 대한 책임을 우선적으로 생각하는 인간으로의 변화를 통해 사회적 소수자 차별 문제를 개선할 수 있는 철학적 근거를 제공한다. 레비나스에게는 차별받는 타자의 고통에 응답하는(response) 능력(ability)이 바로 책임감(Responsibility)인 것이다. 이처럼 타자에 대해 책임지고 타자를 환대하는 윤리적 주체를 끌어내는 레비나스의 타자 지향성은 사회적 소수자들과의 갈등을 해결하고 공존과 소통을 이루어 낼 수 있는 바탕이 되는데, 그런 타자 지향성은 결국 타자에 대한 폭력, 이들의 합인 전체주의의 폭력으로부터 주체, 더 나아가 주체들의 합인 사회를 구하는 길이기도 하다.

(다)

전체 인류 가운데 한 사람이 다른 생각을 가지고 있다고 해서, 그 사람에게 침묵을 강요하는 일은 옳지 못하다. 이것은 어떤 한 사람이 자기와 생각이 다르다고 나머지 사람 전부에게 침묵을 강요하는 일만큼이나 용납될 수 없는 것이다. 어떤 생각을 억압한다는 것이 심각한 문제가 되는 가장 큰 이유는, 그런 행위가 현 세대뿐만 아니라 미래의 인류에게까지, 그 의견에 찬성하는 사람은 물론이고 반대하는 사람에게까지 강도질을 하는 것과 같은 악을 저지르는 셈이 되기 때문이다. 만일 그 의견이 옳다면 그러한 행위는 잘못을 드러내고 진리를 찾을 기회를 박탈하는 것이다. 설령 잘못된 것이라고 하더라도 그 의견을 억압하는 것은 틀린 의견과 옳은 의견을 대비시킴으로써 진리를 더 생생하고 명확하게 드러낼 수 있는, 대단히 소중한 기회를 놓치는 결과를 낳는다. 이런 이유에서 사람들이 자유롭게 자기 의견을 가지지 않거나, 또는 그 의견을 자유롭게 표현할 수 있지 않으면 안 된다.

그러나 다른 사람들이 옳지 못한 행동을 하도록 하는 데 직접적인 영향을 끼칠 수 있는 상황이라면, 의견의 자유도 무제한적으로는 허용될 수 없다. 어떤 종류의 행동이든 정당한 이유 없이 다른 사람에게 해를 끼치는 것은 강압적인 통제를 받을 수 있으며, 만약 사안이 심각하다면 반드시 통제돼야만 한다. 개인의 자유는 당연히 보호되어야 하지만, 타인의 자유를 제한하는 개인의 자유는 제한되어야 한다. 타인의 자유를 제한하는 자유를 무제한적으로 허용하면, 제한을 가한 이의 자유도 언젠가는 누군가에 의해 제한될 수 있다. 무엇보다 자신들의 의견을 스스로 말할 수 없거나 말할 공론장이 부족한 소수자를 더욱 적극적으로 보호해야 한다. 그러므로 타인의 자유를 제한하는 폭력을 막기 위해서는, 필요하다면 사회 전체가 적극적으로 간섭해야 한다.

(라)

출산율 감소로 태어나는 아이 수가 감소하고, 전체 인구에서 노인 인구가 차지하는 비율이 증가하는 현상을 저출산·노령화라고 칭한다. 저출산 현상의 원인으로는 혼인과 출산에 대한 가치관의 변화, 출산과 양육에 따른 경제적 부담 등을 들 수 있고, 고령화 현상의 원인으로는 생활 수준의 향상과 의료 기술 발달에 따른 평균 수명 증가, 저출산 현상 등을 들 수 있다. 저출산은 경제 활동 인구를 감소시켜 노동력 부족 문제를 일으킬 수 있고, 이로 인해 생산성이 감소하고 경제 성장이 둔화될 수 있다. 그래서 저출산 현상은 사회 유지와 인구 부양에 위협을 주기도 한다. 저출산은 결국 고령화의 한 요인이므로 저출산과 고령화는 깊이 연관되어 있다.

이 문제를 해결하기 위해서는 무엇보다도 ⓔ **출산율을 높이기 위한 노력**이 필요하다. 출산은 개인의 선택이므로 사회가 강제할 수는 없지만, 출산을 희망하는 사람이 부담 없이 출산할 수 있도록 출산 및 양육에 따른 경제적 부담을 덜어줄 방안을 사회적 차원에서 적극적으로 모색해야 하는데, 구체적인 방안으로는 일과 가정이 양립할 수 있는 여건을 조성하고, 출산과 육아에 친화적인 기업 문화를 조성하려는 노력 등을 들 수 있다. 육아는 단지 부모의 일만이 아니라 사회적 책임이기도 한 것이다. 이러한 사회적 여건의 확립 이전에 선행되어야 할 것은 어린이에 대한 인식의 변화이다. 가령 성인이 아닌 아이는 미성숙하기 때문에 이들을 가르쳐야 한다는 인식은 가끔 끔찍한 아동학대로 이어지기도 한다. 자신의 소유물인 아이는 부모가 함부로 처벌해도 괜찮다는 인식은 변해야 한다. 이뿐인가. 출산율이 낮아져 사회적 문제라고 하면서도 여전히 아이를 해외로 입양 보내는 것이 현실인데, 친자와 양자를 차별하는 인식의 수정도 시급하다. 어린이는 인격을 지닌 인간이며, 헌법이 보장한 평등한 권리를 당연히 누려야 한다.

[문제 2] (가)를 활용하여 ㉠을 비판하고, (다)를 활용하여 ㉡의 문제점을 지적한 후, ㉣과 ㉤의 입장에서 ㉢의 상황을 설명하시오. (50점, 750±50자)

(가)

　1777년 겨울, 미국 독립 혁명군 총사령관 조지 워싱턴은 펜실베이니아주 밸리 포지 (Valley Forge)에서 힘겨운 전투를 치르고 있었다. 살을 에는 추위에다 극심한 식량 부족으로 그의 군대는 거의 아사 상태에 빠져 있었다.

　펜실베이니아주 정부는 현지에 주둔한 독립 혁명군을 돕기 위해 식량을 포함한 군수 물자의 가격을 통제하는 법을 제정하였다. 식량 등의 가격을 통제하여 군비 부담을 줄이고, 충분한 물자를 공급하여 전투력을 향상하기 위해서였다. 그러나 결과는 반대로 나타났다. 정부가 고시한 가격에 불만을 품은 농부들은 식량을 시장에 내놓지 않았고 물자 가격은 급등하였다. 일부는 적군인 영국군에게 더 비싸게 팔아 버렸다. 결국 밸리 포지의 전투는 참패로 끝이 났다.

　시장과 정부는 경제라는 수레를 움직이는 두 바퀴와 같다. 때로는 잘 맞물려 수레를 잘 굴러가게 하지만, 서로 갈등을 빚으며 좌충우돌하고 엉뚱한 결과를 가져오기도 한다. 그 이유는 대부분의 정책 당국자가 정부가 시장을 움직일 수 있다고 믿기 때문이다.

　그러나 실제로는 전혀 그렇지 않다. 시장의 흐름과 상충되는 정책이 발표되면, 일시적으로는 효과가 있을지라도 결과적으로는 시장의 흐름이 정부보다 더 강력하게 작용한다. 성공하는 정책일수록 시장 친화적이어야 한다. 정부의 '보이는 손'은 만병통치약이 아니다. 오히려 거의 모든 문제는 시장에서 해결되며, 시장에서 해결되어야 할 일에 정부가 개입하면 시장은 엉뚱하게 반응한다.

　경제 현상이 반드시 윤리나 규범으로만 움직이는 것은 아니다. 경제 주체들은 정부의 강력한 정책보다는 자신의 이해를 대변하는 유인에 따라 움직이는 속성을 보인다. 엄격한 법령에 대해 시장은 입법 의도와 다르게 움직일 수 있다. 그래서 왜곡된 결과를 가져오거나 회복될 수 없는 부작용을 낳기도 한다. 따라서 정부의 개입은 항상 제한적으로 이루어져야 한다.

(나)

　자본주의는 시대에 따라 서로 다른 특성을 지니면서 발달해 왔다. 18세기 후반에 일어난 산업 혁명으로 상품의 대량 생산이 가능해지면서 확립된 산업 자본주의는 '각자가 자신의 이익을 추구하도록 경제적 자유를 최대한 보장할 때 사회 전체의 이익도 커진다.'는 자유방임주의를 근거로 국가의 시장 개입을 최소화하는 작은 정부를 추구하였다.

　그러나 19세기 후반에 이르러 소비자의 구매력 하락 및 과잉 생산에 따른 과도한 경쟁으로 다수의 산업 자본이 몰락하고 소수의 대자본에 의한 독과점이 강화되었다. 이에 따라 시장에서 자유로운 경쟁이 줄어들고 자원이 효율적으로 배분되지 못하는 시장 실패가 나타나게 되었다. 결국 1929년 미국에서 시작된 대공황을 계기로 국가가 적극적으로 시장에 개입하여 시장 실패를 해결해야 한다는 ㉠ **수정 자본주의** 이론이 힘을 얻게 되었다.

하지만 20세기 후반에 들어서면서 정부의 적극적 시장 개입이 오히려 비효율을 초래하는 정부 실패가 나타났다. 이에 정부의 지나친 시장 개입을 비판하고 민간의 자유로운 경제 활동을 옹호하는 ㉡ **신자유주의**가 지지를 받기 시작하였다. 1980년대 영국과 미국은 신자유주의에 근거하여 기업에 대한 세금 감면, 공기업 민영화, 노동 시장의 유연성 강화, 복지 축소 등을 실시하였다. 그 결과 효율성은 살아났지만 빈부 격차로 인한 양극화현상으로 사회적 갈등이 증폭되었다.

오늘날 전세계적으로 자본주의의 문제점에 대한 비판과 반성이 증폭되면서 새로운 자본주의가 모색되고 있다. 일부 학자는 이를 자유방임의 고전 자본주의(자본주의 1.0), 정부의 역할을 강조한 수정 자본주의(자본주의 2.0), 시장 자율을 강조한 신자유주의(자본주의 3.0)에 이어 등장한 자본주의라는 의미로 '자본주의 4.0'이라고 한다. 따뜻한 자본주의인 자본주의 4.0은 성장과 사회통합을 동시에 달성하기 위하여 시장 기능을 존중하고 성공한 사람이 더 큰 성공으로 나아가도록 장려하되, 시장에서 낙오된 사람들을 격려하고 그들이 재기할 수 있도록 지원하는 사회적 책임을 강조한다. 그러나 성장과 사회통합은 서로 충돌하려는 속성을 지니고 있다. 따라서 자본주의 4.0의 관건은 정부와 시장의 균형과 협력이다.

(다)

예전에 동네 어귀마다 들어서 있던 구멍가게가 언제부터인가 자취를 감추기 시작했다. 슈퍼마켓이 그 자리에 들어서 규모와 가격으로 세력을 확장했지만, 그 슈퍼마켓마저 얼마 전부터는 대형 할인점에 밀려나고 있다.

구멍가게와 슈퍼마켓이 대형 할인점에 위협당하는 가운데 동네마다 속속 들어선 소형 매장이 있으니 바로 24시간 편의점이다. 1989년에 한국에 첫선을 보인 편의점은 그동안 그 규모가 급속하게 신장하여 2006년 전국의 편의점 수는 1만 개를 돌파하였고 전체 매출액은 4조 6천억 원으로 매년 10퍼센트 이상씩 늘어났다. 이에 따라 편의점 프랜차이즈 회사의 영업이익 역시 큰 폭으로 증가하였다.

그러나 그러한 성장이 편의점 주인들의 수익 확대로 이어지는 것은 아니다. 한때 편의점은 잘나가는 사업 항목으로서 점주에게 한 달에 3백만 원 이상의 수입이 넉넉히 보장되던 시절이 있었다. 그러나 최근 들어서 편의점의 숫자가 급격하게 늘어나면서 제 살 깎기를 하는 실정이다. 적자를 보는 가게들도 적지 않다. 하지만 쉽게 그만둘 수도 없는 것이 기간 만료 전에 계약을 해지하면 엄청난 위약금을 물어야 하기 때문이다. 본사가 가맹점들과 매우 불공정한 조건으로 계약을 맺었기 때문에 울며 겨자 먹기로 장사를 계속하는 것이다. 기업 간 경쟁이 가속화되면서 그 압박은 계속 개별 가맹점에 전가될 것으로 보인다.

주인 못지않게 힘겨운 것이 아르바이트 점원들이다. 그들은 비정규직으로서 가맹점에 공통으로 제공되는 옷을 입고 최저임금만을 받으며 하루 10시간 정도 노동을 한다.

126

편의점은 이제 일상의 자연스러운 일부분으로 자리 잡았다. 고객의 입장에서는 수많은 물품을 진열하고 24시간 연중무휴로 열려 있는 것이 정말 고맙다. 그러나 일상의 편리함은 그냥 얻어지는 것이 아니다. ⓒ **고객의 편의를 위해 엄청난 불편을 감내해야 하는 이들**이 있다. 구멍가게와 슈퍼마켓을 밀어내고 촘촘히 들어서는 편의점은 문명의 외롭고 고달픈 속살을 드러내고 있다.

(라)

기업의 사회적 책임을 바라보는 관점에는 ⓐ **소극적 관점**과 ⓑ **적극적 관점**이 있다. 소극적 관점에서는 기업은 그 자체로 사회에 이바지하므로, 속임수나 부정행위 없이 자유 경제라는 규칙 한도 내에서 자신의 자원을 이용하여 자신의 이익을 늘리기 위한 행동을 하는 것이 유일한 책임이라고 주장한다. 기업의 목적은 상품 및 서비스의 판매를 통한 이윤 추구이므로 기업은 최소의 비용으로 최대의 이익을 창출하려는 효율성을 추구한다. 이러한 기업의 노력 덕분에 결과적으로 소비자는 더 싸고 다양한, 질 좋은 상품을 소비할 수 있다. 또한 가계는 기업의 근로자로서 일자리와 소득을 얻을 수 있다. 그뿐만 아니라 회사가 벌어들인 수입 중 일부는 대금으로 원자재나 부품을 제공한 업체에, 일부는 이자로 은행과 채권자에게 지급되고, 일부는 세금으로 국가에 납부되며, 그 후에 남은 이윤은 주주 등과 같이 회사에 투자한 사람들에게 배분된다. 이처럼 기업 활동은 단순히 기업주에게만 이윤을 제공하는 것이 아니라 기업과 관련된 여러 사람에게 이득이 된다.

반면에, 적극적 관점은 기업의 경제적 책임이 기업의 사회적 책임 중에 가장 중요한 책임이지만 이를 바탕으로 기업을 성장할 수 있게 하는 사회 전체에 대해 더 높은 수준의 사회적 책임을 수용하여 우리 사회를 발전시키는 데 이바지해야 한다고 주장한다. 오늘날 기업의 사회적 책임은 [표 1]과 같은 주제를 중심으로 논의되고 있다.

주제	내용
거버넌스	지배구조의 투명성, 각종 정보의 공시, 회계 투명성 등
인권	남녀 차별 금지, 장애인 차별 금지 등
노동 관행	공정한 임금 지급, 기업 및 협력 업체 근로자의 노동 환경 개선 등
공정 운영 관행	협력 업체 및 타 기업과의 공정한 거래, 동반성장 등
소비자 문제	소비자 교육, 소비자 보호, 지속 가능한 소비 촉진 등
지역 사회 참여 및 발전	지역 사회에 대한 기부 · 봉사활동, 지역 사회 문화사업 지원 등
환경	친환경 제품의 개발 · 판매 등

[표 1] 기업의 사회적 책임의 핵심 주제

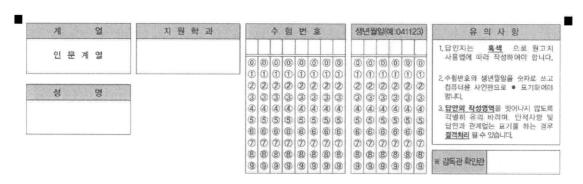

【1번】 답안   (반드시 해당 문제와 일치하여야 함)

40

80

120

160

200

240

280

320

360

400

440

이 줄 아래에 답안을 작성하거나 낙서할 경우 판독이 불가능하여 채점 불가

															480
															520
															560
															600
															640
															680
															720
															760
															800

【2번】 답안 (반드시 해당 문제와 일치하여야 함)

														40
														80
														120
														160
														200
														240
														280
														320
														360
														400
														440

480

520

560

600

640

680

720

760

800

10. 2022학년도 광운대 모의 논술

[문제 1] (다)의 '농부'와 '나'의 관점에서 ⓒ과 ⓔ을 연관시켜 서술하고, (라)의 내용을 활용하여 ⓐ과 ⓒ에 대한 입장을 논술하시오. (50점, 750±50자).

(가)

개인은 언제나 자신에게 이익이 되는 방향으로 행동을 한다. 따라서 개인이 어떤 경제적 선택을 할 때 그로 인해 얻을 수 있는 편익이 일정하다면 비용을 최소화하는 쪽으로 선택할 것이고, 들어가는 비용이 일정하다면 편익을 최대로 얻을 수 있는 쪽으로 선택할 것이다. 결국 ⓐ **합리적 선택**이란 가급적 최소의 비용으로 최대의 편익을 얻을 수 있도록 선택하는 것이다.

어떤 선택을 한다는 것은 다른 무언가를 포기한다는 것을 의미한다. 이때 선택을 함으로써 포기하게 되는 대안 중 가장 가치가 큰 것을 ⓑ **기회비용**이라고 한다. 합리적 선택을 하려면 기회비용을 고려해야 한다. 이처럼 모든 선택에는 비용과 편익이 동시에 존재하므로, 어떤 선택을 할 때는 선택에 따른 기회비용과 편익을 철저히 분석, 평가, 비교하여 가장 작은 비용으로 가장 큰 편익을 얻을 수 있는 대안을 선택하는 것이 합리적이다.

개인이 각자 합리적인 선택을 하면 개개인의 만족감이 커지므로 사회 전체의 효용도 커진다고 볼 수 있다. 그러나 개인이 어떤 선택으로 인한 편익과 비용을 정확히 파악할 수 있어야 하지만 현실적으로 그것이 어려운 경우가 많다. 그리고 편익과 비용을 정확히 계산하여 합리적 선택을 한 경우에도 때로는 사회 전체의 효용이 커지지 않거나 오히려 줄어드는 경우가 발생할 수 있다. 또 각자 자기에게 이익이 되는 쪽으로 선택하는 과정에서 개인 간에 이익이 충돌하거나 공익을 해치는 경우가 나타나기도 하고 개인이나 기업이 비용을 줄이려고 노력하는 과정에서 사회 규범을 어겨 문제가 되기도 한다.

(나)

효율성만을 추구하는 합리적 소비는 소비에 따른 사회적 영향을 고려하지 못한다는 한계가 있다. 소비자가 상품을 구매할 때 낮은 가격만을 중시하면 기업은 그 가격을 맞추기 위해 생산비를 과도하게 낮출 수밖에 없다. 이 과정에서 폐기물 처리를 제대로 하지 않거나 정화 시설을 생략함으로써 환경을 파괴하거나 낮은 임금과 과다한 노동 요구로 노동자의 인권을 침해하는 등의 문제가 발생할 수 있다. 이렇게 합리적 소비만을 중시함으로써 발생할 수 있는 문제를 보완하기 위해 등장한 것이 바로 윤리적 소비이다.

ⓒ **윤리적 소비**란 윤리적인 가치판단에 따라 상품이나 서비스를 구매하고 사용하는 것을 뜻한다. 즉 소비 행위가 타인과 사회는 물론 생태계 전체에 어떤 결과를 가져올지를 고려하여 바람직한 방향으로 소비를 실천하는 것이다. 윤리적 소비는 가격을 소비의 유일한 판단 기준으로 삼지 않으며, 소비자의 이익을 넘어 노동자의 인권이나

환경 문제 등을 적극적으로 고려하고, 원료의 재배 및 제품의 생산과 유통에 이르는 전 과정이 윤리적인지에 대해 관심을 가진다.

이러한 윤리적 소비는 환경오염을 방지하고 건강한 생태계를 유지할 수 있다. 예를 들어, 멸종 위기 동식물을 이용한 음식이나 제품을 구매하지 않고 고효율 전자 제품이나 농약, 화학 비료 등을 억제한 농산물을 구입한다면 환경오염을 줄일 수 있고, 생태계를 훼손하지 않고 온전히 보전하여 현 세대와 미래 세대까지 고려할 수 있게 된다.

이와 같이 윤리적 소비는 인권, 정의, 환경 등 보편적 가치의 실현을 지향한다. 윤리적 소비는 보편적 가치가 실현된 사회의 혜택을 소비자도 누리기 때문에 결국 소비자 자신을 위한 것이기도 하다. 따라서 우리는 소비자로서 윤리적 소비의 필요성을 인식하고 윤리적 소비를 적극적으로 실천해야 한다.

(다)

자연스럽다라는 말처럼 매몰스럽고 정나미가 떨어지는 말도 드물 것 같다. 그러나 그것은 어디까지나 인간의 이기주의적인 생각에 지나지 않는다. 자연은 인간의 힘을 더하지 않은 채 우주 사이에 저절로 된 그대로 그냥 있는 것이 제 본성이기 때문이다.

아무 데나 나는 풀도 이름이 없는 풀은 없다고 한다. 그러나 농부는 저마다 논밭에 심고 가꾸는 것이 아닌 것은 죄다 ㉣ 잡풀이라고 한다. 자기에게 필요할 때는 나물도 되고 화초도 되고 약초도 되고 목초도 되고 거름도 되고 하는 풀도 필요가 없을 때에는 잡풀이 되는 것이다. 잡풀로 그치는 것만도 아니다. 논밭에 나서 서로가 살려고 작물과 경쟁할 때는 여지없이 농부의 원수가 되어 낫에 베이거나 호미에 뽑히거나 농약에 마르거나 하여 덧없이 죽어 가기 마련이다. 논밭의 작물은 주인의 발걸음 소리에 자란다는 말을 들을 때 잡풀의 서러움은 그 무엇에 견주어 말한대도 성에 찰 리가 없을 터이다.

나는 장마 전에 시골집에 가서 고추 밭과 집터서리에 뒤덮인 잡풀을 이틀에 걸쳐서 뽑고 베고 하였다. 장마가 지면 고추 밭이 풀밭이 되고 울안의 빗물도 빠지지 않아서 나간 집이나 다름이 없어질 터이기 때문이었다. 풀을 뽑고 베는 동안에 팔과 다리에 풀 독이 올랐다. 뽑히고 베일 때 성이 난 풀잎에 팔과 다리가 긁히더니 이윽고 벌겋게 부르트면서 옻이나 옴이 오른 것처럼 가렵고 따갑고 쓰라려서 안절부절못하게 된 거였다.

약국에서는 접촉성 피부염이라면서 먹는 약과 바르는 약을 주었지만 열흘이 지나고 보름이 지나도 가라앉지 않았다. 누구는 병원의 주사 한 방이면 직방으로 나을 텐데 미련을 떤다고 흉을 보기도 했다. 그러나 장마가 끝나도록 병원을 찾지 않았다.

한갓 잡풀일망정 뽑히고 베일 때 왜 느낌이 없을 수 있겠는가. 느낌이 있다면 왜 가만히 있을 수 있겠는가. 자연스럽다는 것은 본디 인간의 뜻과 무관한 것이 아니었던가. 풀 독은 근 달포나 되어서야 자연스럽게 가라앉았다.

(라)

　자유주의에서는 구성원 각자의 자유와 평등한 기회를 보장하고, 공정하고 투명한 경쟁 과정을 확립해야 한다고 본다. 이는 개인마다 추구하는 삶과 가치가 다르기 때문이다. 따라서 자유주의자들은 각 시민의 사적인 삶과 개인선을 보장하고자 한다. 공화주의에서는 공공의 가치와 공동선을 존중하고, 공적 책무에 적극적으로 참여하는 의식과 태도인 시민적 덕성을 강조한다. 공화주의에서는 이러한 시민적 덕성과 법 앞의 평등을 바탕으로 공동선을 실현하고자 한다.

　자유주의는 개인의 자유와 권리가 존중되는 사회를 지향함으로써 시민들이 타인에게 해가 되지 않는 한 개인선과 사익을 자유롭게 추구할 수 있게 되었다. 이러한 자유주의는 시민들간의 협동과 유대를 부정하지 않지만 기본적으로 개인의 자율성이 잘 발휘될 수 있는 자유롭고 공정한 경쟁을 지지한다. 따라서 자유주의자들은 각자의 이익을 위한 경쟁이 사익 증진에 기여할 뿐 아니라 사회 전체의 발전에도 기여한다고 본다.

　그러나 무분별한 사익의 추구는 자칫 이기주의를 조장하여 공익을 해치고 공동체의 윤리와 질서를 파괴할 수 있다. 따라서 우리는 공익을 존중하고, 법치를 바탕으로 공동의 일에 참여하는 자세를 길러야 한다. 그리고 개인의 자율성과 함께 사회의 공공성을 보장하려는 노력이 필요하다.

　공동선을 강조하는 공화주의는 이러한 문제에 시사점을 제공한다. 공화주의는 시민적 자유를 바탕으로 정치에 능동적으로 참여하고, 시민의 의무를 수행하면서 공동선을 실현하기 위해 서로 연대하는 활동적인 삶을 강조한다. 이러한 공동선은 단지 개인이 아니라 모든 시민에게 좋은 것이기 때문에 공동선의 추구는 곧 개인선에 부합하기도 한다는 것이다.

[문제 2] ㉠의 관점에서 ㉢처럼 말한 이유를 설명하고, ㉡의 관점에서 ㉣처럼 표현한 이유를 ㉤을 활용하여 논술하시오. (50점, 750±50자).

(가)

 인간은 자연과 밀접하게 살아오며 자연에 관한 다양한 사고방식이나 가치관을 형성하였는데, 이것을 크게 두 가지로 나눌 수 있다. 첫째, ㉠ **인간 중심주의**는 오직 인간만이 이성을 지닌 존재라는 점에서 인간에게만 본래적 가치를 인정하고, 자연을 순전히 인간에게 예속된 존재로 평가하는 관점이다. 이에 따르면 인간은 자연과 구별되는 우월한 존재로, 자신의 이익과 행복 증진 등을 위하여 자연을 수단으로 이용할 수 있다. 이는 인간의 욕구 충족을 위한 도구로서 자연이 지니는 유용성을 중시하는 도구적 자연관에 근거한다.

 인간 중심주의는 근대 이후 서구에서 자연에 관한 지배적인 관점으로 자리매김한 이래 자연을 탐구하고 개발함으로써 과학 기술의 발전과 경제 성장을 이루어 인간 의 삶을 풍요롭게 하는 데 도움을 주었다. 그러나 인간이 물질적인 욕망을 좇아 자연을 함부로 사용하여 훼손한 결과 자원 고갈, 환경 오염, 생태계 파괴 등과 같은 환경 위기가 나타났다.

 둘째, ㉡ **생태 중심주의**는 자연이 인간에게 주는 유용성과 관계없이 그 자체로 존중받을 가치가 있다고 여기는 관점이다. 이에 따르면 인간은 자연으로부터 독립된 우월한 지배자가 아니라 자연의 한 구성원이며, 자연 안의 모든 생명은 평등한 가치와 권리를 지닌다. 따라서 인간뿐만 아니라 동물, 식물, 그리고 무생물을 포함한 생태계 전체를 도덕적으로 대우해야 한다고 본다.

 생태 중심주의 사상은 대지의 윤리는 생태계 전체를 하나의 유기체로 보고 공동체의 범위를 인간에서 동물, 식물, 토양, 공기, 물을 포함한 대지까지 모두 포괄하는 것으로 확대하려는 입장이다. 이에 따르면 대지는 경제적 가치로만 평가될 수 없으며 무생물과 식물, 곤충, 각종 동물 등이 유기적으로 연결되어 균형을 이루며 살아가는 '생명 공동체'이다.

(나)

"정신병자가 쓴 낙선 뭐 더 읽을 필요도 없소."

하며 젊은이는 내가 읽던 진정서를 낚아챘다.

"아, 아들놈이 낸 진정서가 틀림없습니까?"

노무과장에게 내가 물었다.

"분명합니다. 알고 보니 자제분은 이 방면에 상습범이더군요. 지난 유월에는 풍천화학을 상대로 진정서를 낸 바 있습니다. 풍천 화학 역시 야음을 틈타 카드뮴·수은 등 중금속 물질을 다량 배출하여 동진강 하류 삼각주 지대 각종 새 삼백여 마리와 물고기들이 떼죽음을 당했다나요. 사람이 아닌 한갓 새나 물고기가 죽은 걸 두고 말입니다."

 노무과장 목소리가 열을 띠더니 '새나 물고기'란 말에 힘주어 강조했다.

"기가 막혀서. 뭐 제 놈이 실신했다거나 가족이 떼죽음당했다면 또 몰라."

한 젊은이가 가소롭다는 듯 시큰둥하게 말했다.

"국민 소득 일천 달러 달성에, 오늘날 조국 근대화가 다 무엇으로 이루어진 성과인 줄 선생도 알지요?"

다른 젊은이가 내 눈을 찌를 듯 손가락질했다.

"ⓒ <u>빈대 잡겠다고 초가삼간 태우겠다는 미친놈 짓거리</u>를 이번으로 뿌릴 뽑아야 해."

-김원일, 「도요새에 대한 명상」 중에서

(다)

텔레비전을 끄자
풀벌레 소리
어둠과 함께 방 안 가득 들어온다
어둠 속에서 들으니 벌레 소리들 환하다
별빛이 묻어 더 낭랑하다
귀뚜라미나 여치 같은 큰 울음 사이에는 너무 작아 들리지 않는 소리도 있다
그 풀벌레들의 작은 귀를 생각한다
내 귀에는 들리지 않는 소리들이 드나드는
까맣고 좁은 통로들을 생각한다
그 통로의 끝에 두근거리며 매달린
여린 마음들을 생각한다
발뒤꿈치처럼 두꺼운 내 귀에 부딪쳤다가
되돌아간 소리들을 생각한다
브라운관이 뿜어낸 현란한 빛이
내 눈과 귀를 두껍게 채우는 동안
그 울음소리들은 수없이 나에게 왔다가 너무 단단한 벽에 놀라 되돌아갔을 것이다
하루살이들처럼 전등에 부딪쳤다가
바닥에 새까맣게 떨어졌을 것이다
크게 밤공기 들이쉬니
허파 속으로 그 소리들이 들어온다
ⓔ <u>허파도 별빛이 묻어 조금은 환해진다</u>

-김기택 「풀벌레들의 작은 귀를 생각함」

(라)

노자는 도에 따르지 않고 제멋대로 하는 유위(有爲)에 의한 문명이 인간과 만물의 본성[自然]을 왜곡하여 세상이 어지럽다고 하였다. 그래서 노자는 개인과 사회의 도덕적 문제를 ⓕ <u>무위자연(無爲自然)</u>의 방법으로 치유할 수 있다고 주장했다. 무위자연이란 인위를 행하지 않고 자연에 따르는 것으로, 노자가 말하는 자연은 곧 도이다.

노자는 도는 항상 인위와 조작이 없다고[道常無爲] 하며, 인위가 없을 때 자연이 왜곡되거나 변형되지 않고 발휘될 수 있기에 오히려 모든 것이 이루어진다고[無不爲] 주장했다. 따라서 그는 모든 사람은 인위와 조작에 의해 이루어진 것이 아니라 자기에게 갖추어져 있는 본성에 따라야 한다고 말했다. 결국 노자는 자연에 따를 것을 강하게 주장했는데, 이것은 인위적인 그 어떤 것도 인간의 본성과 어긋난다는 뜻으로, 생명을 중시하고 생명을 실현하려는 욕망을 긍정하며 몸과 마음, 우리와 환경 등의 관계를 관찰하고 고민한다는 점에서 현재에도 여전히 유효하다고 할 수 있다.

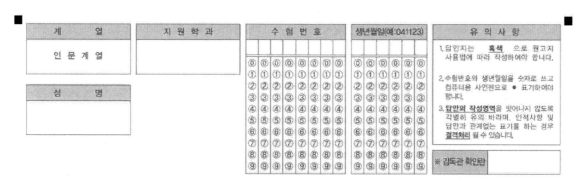

【1번】 답안   (반드시 해당 문제와 일치하여야 함)

40

80

120

160

200

240

280

320

360

400

440

이 줄 아래에 답안을 작성하거나 낙서할 경우 판독이 불가능하여 채점 불가

480

520

560

600

640

680

720

760

800

【2번】답안 (반드시 해당 문제와 일치하여야 함)

																			40
																			80
																			120
																			160
																			200
																			240
																			280
																			320
																			360
																			400
																			440

480

520

560

600

640

680

720

760

800

11. 2021학년도 광운대 수시 논술 1

[문제 1] (가)의 ㉠을 바탕으로 (나)와 (다)를 각각 설명하고, (라)의 ㉡과 ㉢에 드러난 ㉠에 대한 인식을 서술하시오. (50점, 750±50자)

(가)

 한 사회의 주류 문화 또는 지배 문화를 거부하거나 비판적으로 저항하는 사람들이 공유하는 문화를 ㉠ 반문화(反文化, counter-culture)라고 한다. 반문화는 사회의 주류 문화와 대립하는 과정에서 충돌을 일으킴으로써 사회 혼란을 초래하여 부정적으로 인식되는 경향이 있다. 하지만 기존 문화의 보수성이나 문제점에 대한 비판적 성찰의 계기를 마련함으로써 사회가 바람직한 방향으로 변화하는 데 도움을 주기도 한다. 그래서 반문화에 관한 규정은 시대나 사회에 따라 달라질 수 있다.

(나)

 히피(hippy)는 1960년대 미국에서 기존의 사회 통념, 제도, 가치관 등에 저항하면서 전쟁과 폭력 반대, 인간성의 회복, 자연으로의 복귀 등을 주장했던 사람들을 말한다. 그들은 폭동, 전쟁, 암살 등으로 많은 사람들이 죽고 다치는 모습을 보면서 사회에 대한 절망과 분노를 느꼈다. 무엇보다 미국 정부가 무모하게 일으킨 베트남 전쟁에 대한 반전평화의 메시지를 문화적으로 표현하여 전 세계 대중 문화에 큰 영향을 미쳤다. 그리고 이를 계기로 당시 사회에 통용되던 규범과 가치 등 주류 문화를 비판하였다. 그들은 긴 머리에 샌들을 신거나 맨발로 다니고, 다양한 색깔의 천으로 옷을 직접 만들어 입으면서 자신들의 저항 의식과 개성을 표현하였다. 이들은 생각을 공유하는 사람들과 함께 '히피 빌리지(hippy village)'라는 새로운 공동체를 만들기도 했다. 이 공동체에서 사람들은 자유롭게 자신의 감성과 즐거움을 표현하였고, 폭력을 거부하며 평화를 추구하였다.

(다)

 새벽 시간에 오토바이를 타고 떼로 몰려다니며 난폭하게 거리의 무법자처럼 곡예 운전을 한 폭주족들이 경찰에 붙잡혔습니다. 폭주족들은 지난 주말 오전 1시부터 무려 3시간 동안 오토바이 10여 대를 나눠 타고 편도 4차로인 대로를 확성기로 사이렌을 울리는 등 굉음을 내면서 질주하였습니다. 이 과정에서 그들은 교차로 신호 위반은 물론, 모든 차선 무단 점령, 규정 속도 위반, 지그재그 곡예 운전 등 다른 주행 운전자들을 심각히 위협하였습니다. 이들의 오토바이 폭주는 일회성에 그치지 않고 주말마다 새벽 시간대를 이용하여, 교통 경찰의 단속을 피해 전국의 대로에서 행해지고 있습니다.

(라)

 골똘한 최만리의 표정을 심종수는 냉정하게 살폈다. 최만리는 초조함으로 바짝 마른 입술을 손바닥으로 쓰다듬었다.

 "새 글이 만들어지면 십 년 안에 세상이 바뀔 것이다."

 "아무리 그렇기야 하겠습니까? 정인지도 밝혔듯이 새 글자가 만들어져도 스물여덟 자일 뿐입니다. 수천 년을 내려온 수만 자가 넘는 대국의 문자를 금방 만들어진 스물여덟 자가 어찌 당하겠습니까? 한강에 물 한 바가지를 붓는 것과 같습니다."

 "이제 글은 양반 사대부의 것이 아니다. 학문 또한 양반 사대부의 전유물이 아니다."

 "그것은 무슨 말씀입니까?"

 "새 글만 익히면 세상천지가 학문하는 자들로 넘쳐날 것이다. 농군들은 농학(農學: 농업을 다루는 학문)을 한다고 할 것이고, 장사치들은 상학(商學: 경제를 다루는 학문)을 한다고 할 것이며, 갖바치들은 피혁학(皮革學: 가죽을 다루는 학문)을 한다고 나설 것이다. 그뿐만이 아니다. 무지렁이 백성들은 옳고 그름에서 이치를 따질 것이고, 세상의 모든 자들이 자기 이익을 주장하고 나설 것이다. 그렇게 되면 ⓛ <u>학문하는 사대부가 있을 곳이 어디 있겠느냐?"</u>

·····················(중 략)·····················

 세종 28년(1446) '훈민정음'이란 이름으로 한글이 반포되면서 비로소 우리말을 온전하게 적을 수 있는 문자가 탄생하였다.

 세종을 도와 새 글을 만드는 데 혼신의 힘을 쏟았던 집현전 학자 성삼문의 눈빛은 더욱 빛났다.

 "이 글자는 앞으로 일 년이 지나든 십 년이 지나든 이 소리대로 읽힐 것이다. 백 년이 지나고 천 년이 지나도 종이가 썩지 않는 한 이 소리를 그대로 지닐 것이다. 소리를 지닐 뿐만 아니라 지금 내가 뱉은 그 뜻과 감정까지도 그대로 간직할 것이다."

 "그 조화가 신기하나 말을 그대로 기록하는 것이 삶에 무슨 도움이 됩니까?"

 빙긋이 미소를 머금은 성삼문이 하인에게 기다렸다는 듯 입을 열었다.

 "만약 이 글이 전술을 펴는 장수의 말이라 생각해 보자. 수확을 늘리기 위해 농사짓기 비결을 전하는 농부의 말이라 생각해 보자. 농기구와 각종 생활 도구를 만들기 위해 쇠와 불을 다스리는 대장장이의 비법을 전하는 말이라 하자. 값싸고 품질 좋은 물건을 사고파는 상인의 말이라 하자. 이 글이 실어 낼 정보와 지식은 무궁무진할 뿐만 아니라 백성의 삶에도 큰 변화가 생기지 않겠느냐?"

 ⓒ <u>순간, 성삼문의 말을 들은 하인의 머릿속에서 천둥과 번개가 번갈아 치는 듯했다.</u>

[문제 2] (가)의 ㉠의 현상의 원인을 (가)의 [표 1]과 (나)의 내용을 활용하여 설명하고,
(나)의 ㉡에 대해 (가)의 [표 2]를 통해 비판한 다음, (나)의 ㉢에 대한 해결책을
(다)와 (라)를 활용하여 서술하시오. (50점, 750±50자)

(가)

 최근 혼자 밥을 먹거나 여가 생활을 즐기는 등 혼자 활동하는 성향이 강한 ㉠ **나**
홀로족이 새로운 사회 현상으로 나타났다. 시대의 변화에 따라 이른바 혼족이라고
도 일컬어지는 나홀로족을 바라보는 태도 역시 변화하고 있다. 그동안 암울하게만
그려졌던 나홀로족이 [표 2]와 같이 이제는 자신의 행복이나 자기 계발을 위해 혼
자만의 시간을 즐기려는 사람으로 인식되고 있다. 사람들은 홀로 있는 것이 불편하
지 않고 자유로우며 혼자만이 만끽할 수 있는 기쁨과 풍요로운 삶의 비밀이 있다고
생각한다. 타인의 취향을 강요당할 염려가 없고 유행보다 개성을 따를 수 있는 것
도 나홀로족의 장점으로 인식된다. 이러한 추세를 반영하듯 최근에는 1인 전용 식
당이 생겨나고 사람들은 혼자 먹기 좋은 분위기의 맛집 정보를 공유하기도 한다.

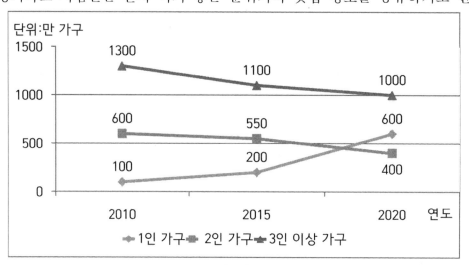

[표 1] A국의 가구 수 변화

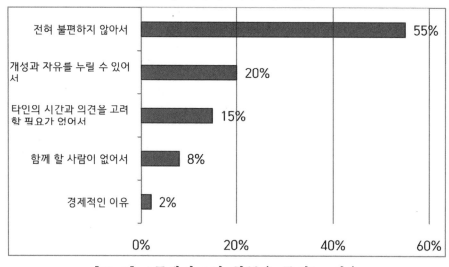

[표 2] A국에서 1인 활동을 즐기는 이유

144

(나)

현대 사회는 도시화가 급속화되면서 도시성이 강해지고 있다. 도시성이란 도시에 거주하는 사람들이 가지는 특징적인 사고 및 행동 양식으로서, 효율성과 합리성을 추구하며 익명성을 띠고 피상적인 인간관계를 맺는 도시인의 특성을 의미한다. 도시성의 확산으로 자율성과 다양성이 존중되기도 하지만, 사회적 유대감이 약해지기도 한다.

현대 사회는 또한 개인주의 가치관을 확산시켰다. 산업이 고도화되고 도시화가 확장되면서 사회는 전반적으로 공동체보다 개인을 강조하는 경향이 커졌다. 개인의 가치와 성취를 중시하는 개인주의적 가치관이 확산되면서 타인에 대한 무관심과 이기주의로 인한 문제들이 발생했다.

울리히 벡은 이런 현대 사회의 모습을 '위험 사회'로 정의한다. 기후 변화, 범죄의 증가 등에서 알 수 있는 것처럼 현재 많은 사람들이 도시에 살면서 수많은 위험에 노출되고 있으며, 기술이 발달할수록 이러한 위험은 더욱 커진다는 것이다. 울리히 벡은 심화되고 있는 개인주의적 성향이 ⓛ **위험 사회**를 가속화한다고 말하고 있다. 가정과 같은 전통적 결속이 약화되고 도시에 사는 수많은 사람들이 개인화되어 가고 있는데, 이러한 개인주의로 인해 타인이 겪는 고통이나 사회현상에 무관심하게 된다고 보았다.

오늘날 인터넷 통신망으로 지나치게 연결된 ⓒ **과잉 연결 사회**는 인간과 인간 사이의 진정한 소통을 가로막는다. 아파트 이웃들 모두가 좁은 엘리베이터 안에서 각자의 휴대 전화를 들여다볼 뿐 침묵이 이어지고 순서대로 엘리베이터에서 내리지만 누가 어디 사는지, 어떤 이웃인지 전혀 관심을 갖지 않는다. 거미줄처럼 연결된 인터넷 통신망에 빠져 현실 세계의 인간 관계를 잃어가는 모습이다. 과잉 연결 사회를 살아가는 우리는 외롭다.

(다)

정의(情誼)는 친애와 동정의 결합입니다. 이는 서로 가깝게 지내어 친하여진 정을 말합니다. 친애란 부모가 자식을 보고 귀여워서 정으로써 사랑함이요, 동정이란 자식이 당하는 고(苦)와 낙(樂)을 자기가 당하는 것 같이 여김입니다. 그리고 돈수(敦修)란 있는 정의를 더 커지게 더 많아지게 더 두터워지게 한다함 입니다. 그러면 다시 말해서 친애하고 동정하는 것을 공부하고 연습하여 이것이 더 잘되도록 노력하자 함입니다.

인류 중 불행하고 불쌍한 자 중 가장 불행하고 불쌍한 자는 무정(無情)한 사회에 사는 사람이요, 복 있는 자 중 가장 다행하고 복 있는 자는 유정(有情)한 사회에 사는 사람입니다. 사람에게 정의가 있으면 화목한 분위기가 있고 화목한 분위기가 있으면 흥미가 있고 흥미가 있으면 활동과 용기가 있습니다.

유정한 사회는 태양과 우로(雨露)를 받는 것 같고 화원에 있는 것 같아서 여기는 고통이 없을 뿐더러 모든 일이 잘 되어갑니다. 사람들이 삶에 흥미가 있으므로 용기를 내서 일을 하고 편안함과 즐거움을 주는 일이 넘쳐 납니다.

이에 반하여 무정한 사회는 가시밭과 같아서 사방에 괴로움뿐이므로 사람은 자기가 사는 사회를 미워하게 됩니다. 또 비유하면 차가운 바람과 같아서 공포와 우울이 그 사회를 뒤덮고 사람들은 매사에 흥미를 잃고 삶을 살아갑니다. 염세와 나약이 있을 따름이며 사회는 사람의 원수가 되니 이는 사람에게 직접 고통을 줘서 모든 일이 안됩니다.

(라)

마을 살이와 관련해서 내가 동네에 사는 주민이 맞는지, 동네를 다니면서 마주치며 인사하는 동네 사람이 몇이나 되는지, 단골 가게가 몇 개나 되는지, 급할 때 도움을 청할 이웃이 몇이나 되는지 생각해 본다. 이런 관계적 삶은 갑자기 정전이나 수해와 같은 재난 사고나 폭력 사태가 일어나도 공포에 빠지지 않고 문제 해결을 할 수 있는, 비빌 언덕이 되는 관계다. 일상에서 관계가 살아 있는 삶을 살아 냄으로써 현대의 파편화되고 적대적 삶의 위기를 모면할 수 있게 되는 것이다.

그래서 동네에서 느린 시간을 보내고, 단골 장소에 머무르며, 느슨하나 지속적인 환대의 관계를 맺어 행복해지기를 바란다. 인간적 삶의 가장 근본은 사회를 형성하는 것인데, 지금은 바로 그 사회가 실종되고 있는 위기이기에 관계의 회복은 더욱 중요한 과제가 되었다. 이웃과 인사하는 것, 그리고 동네를 걸어 다니면서 정을 붙이는 것은 우리 안에 사회를 회복하고 사회적 감각을 회복하는 시작점이다. 아이를 낳고 키우며 나이 들어 병들고 죽어 가는 인간의 삶은 가족을 이루고 이웃과 더불어 상부상조하는 삶에서 시작하고, 이런 이웃 간 유대가 시민적 공공성을 형성해 내는 바탕이다.

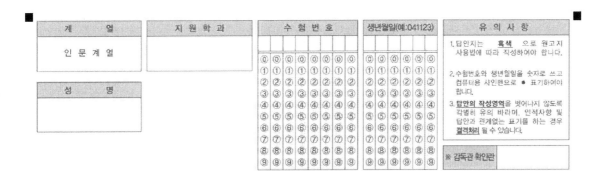

【1번】 답안   (반드시 해당 문제와 일치하여야 함)

40
80
120
160
200
240
280
320
360
400
440

이 줄 아래에 답안을 작성하거나 낙서할 경우 판독이 불가능하여 채점 불가

147

480

520

560

600

640

680

720

760

800

148

【2번】 답안　　(반드시 해당 문제와 일치하여야 함)

40

80

120

160

200

240

280

320

360

400

440

480

520

560

600

640

680

720

760

800

12. 2021학년도 광운대 수시 논술 2

[문제 1] (가)의 ⊙을 바탕으로 (나)의 ⓒ과 (다)의 ⓒ을 설명하고, (라)의 ⓔ의 관점에서
(나)와 (다)의 주장에 대해 논술하시오. (50점, 750±50자)

(가)

매우 단순하게 말하자면, 상이한 두 문화를 결정짓는 가장 근본적 특성은 뿌리의 차이에 있다. 소나무는 바람과 정면에서 부딪치면서 살아야 하므로 땅속 깊게 그 뿌리를 박지 않으면 안 되는데, 이런 소나무의 근본적인 특성은 '심근성(深根性)'을 지닌다는 데 있다. 이에 반해 버드나무는 뿌리가 얕고 잔뿌리만 무성해 바람이 부는 대로 나부끼는데, 이것이 버드나무가 '천근성(淺根性)'에 속하는 이유이다. 소나무는 한곳에 뿌리를 박으면 여간해서 다른 곳으로 옮겨지지 않아 뿌리돌리기를 하지 않으면 이식이 거의 불가능하지만, 버드나무는 뿌리가 없어도 가지만으로도 살아갈 수 있다.

문화의 특성도, 인간의 성격도 크게 심근성과 천근성으로 나누어 볼 수 있다. 심근성의 문화는 이념이나 정통에 깊이 뿌리를 박고 있는 대륙형 문화이고, 천근성의 문화는 이식과 수용·적응이 잘되는 해양성 섬 문화다. 소나무 가지는 한번 꺾이고 부러지면 재생 불가능이지만 버들은 아무 데서나 새 가지가 돋는다. 이렇게 고지식하고 융통성이 없는 깐깐한 소나무 문화와는 달리 버드나무는 뿌리가 얕으므로 오히려 덕을 본다. 이처럼 ⊙ **심근성의 문화와 천근성**의 문화는 각기 다른 특징을 지니고 있다.

(나)

우리는 당시 농장과 집 안팎에서 ⓒ **기쿠유어(語)**를 사용했다. 장작더미 주위에 앉아 옛날이야기를 주고받던 밤들을 나는 아직도 잊을 수 없다. 옛날이야기를 해 주던 사람들은 주로 어른들이었지만 아이들을 포함해 그곳에 앉아있던 사람들 중 그 이야기 속에 흠뻑 빠져들지 않는 사람은 아무도 없었다. 이야기를 들었던 아이들은 다음날 유럽인 주인들이나 흑인 주인들의 농장에서 찻잎 혹은 커피콩을 따느라 그 자리에 없었던 아이들을 위해 그 이야기를 다시 해 주었다. 아이들은 주로 주위에서 쉽게 볼 수 있는 동물들이 등장하는 이런 이야기를 통해 열악한 환경 속에서도 왜 그들이 협력해야 하는지 간접적으로 체험하게 되었다.

무엇보다 아프리카 아이들은 이런 이야기를 통해 상황에 따라 한 단어가 갖는 의미와 뉘앙스의 차이를 안다. 언어란 그저 말의 배열에 불과한 것이 아니며, 즉자적이고 사전적인 의미를 초월한 어떤 함축적인 힘을 가졌음도 안다. 아프리카 아이들은 한 언어가 지닌 마술적인 함축미를 감상하는 방법을 자연스럽게 터득한다. 그 아이들은 때때로 말의 의미보다 음악성이 더 우위에 있는 이유도 이해한다. 언어란 이미지와 상징을 통해 세계를 투사하는 그 무엇임이 틀림없지만, 그보다 더 중요한 자족미를 갖추고 있는 그 무엇이라는 사실도 잘 알고 있기 때문이다. 그렇게 수천 년을 이어온 경험, 생각, 감정, 사상들이 환경과 맞게 결합된 것이 언어임을 배웠다. 따라서 아프리카 아이들에게 집과 농장은 예비 학교인 셈이다.

그러나 아프리카 아이들이 학교, 그것도 식민주의자들이 세운 학교에 다니게 되면 이 조화는 여지없이 깨진다. 아이들이 받는 교육의 언어가 그들이 자란 문화의 언어와 다르기 때문이다. 1952년 케냐에 계엄령이 공표된 이후로 애국적인 민족주의자들이 운영하던 학교는 식민주의자들의 손아귀로 넘어갔다. 그 이후로 영어가 공식적인 교육어가 되었다. 그것은 아프리카의 환경과 전혀 다른 언어인 영어가 매우 구체적이고 고유한 언어적 차원을 갖게 됨을 의미한다. 이제 기타 모든 다른 언어가 영어 앞에서 머리를 조아리고 경배해야 하는데, 이것은 식민주의의 가장 큰 폭력이다.

(다)

우리나라 선비들은 한쪽 모퉁이 땅에 편협한 기질을 타고나, 발은 중국 대륙의 땅을 밟아 보지 못하고 눈은 중국의 사람을 보지 못한 채 태어나 늙고 병들어 죽기까지 국경 안을 떠나 본 적이 없다. 그래서 학은 다리가 길고 까마귀는 검은 것이 각자 천성을 지키는 것이고, 우물 안 개구리나 밭의 두더지는 오직 자기 땅만을 의지해야 한다고 여기며 살아왔다. 예(禮)는 차라리 소박해야 한다고 말하고 누추한 것을 검소한 것이라 인식했다. 이른바 사농공상(土農工商)의 사민(四民)이라는 것도 겨우 명목만 남아있고, 이용후생(利用厚生)의 도구는 날이 갈수록 어렵고 구차해졌다. 이는 다른 게 아니다. 배우고 물을 줄을 몰라 생긴 잘못이다.

장차 배우고 물어야 한다면 중국을 버려두고 어떻게 하겠는가? 그러나 그들은 말하기를, 지금 중국을 다스리는 자는 오랑캐들이라고 하면서 배우기를 부끄러워해 중국의 옛 법마저 싸잡아 천하고 야만적이라 여긴다. 저들이 진실로 변발을 하고 옷깃을 왼편으로 여미는 오랑캐이지만 저들이 살고 있는 땅이 *삼대(三代) 이래 한(漢)·당(唐)·송(宋)·명(明)의 대륙이 어찌 아니겠는가? 그 땅에 살고 있는 사람들이 삼대 이래 한·당·송·명의 후손이 어찌 아니겠는가? ㉢ <u>**한자(漢字)**</u>를 받아들여 우리가 얼마나 많은 발전을 이루었는지 잊었는가? 소통이 가능하고 기록으로 남길 수 있으며 문화적 발전도 이루지 않았던가? 만약 법이 좋고 제도가 아름답다면 진실로 오랑캐라도 나아가 본받아야 할 터인데, 하물며 그 규모의 광대함과 마음 씀씀이의 정교함과 *제작(制作)의 심원함과 문장의 찬란함이 삼대 이래 한·당·송·명의 옛 법을 보존하고 있음에랴?

우리를 저들과 비교한다면 진실로 한 치도 나은 점이 없다. 그럼에도 유독 상투를 튼 것만 가지고 스스로 천하에 제일이라고 뽐내면서 "지금 중국은 옛날의 중국이 아니다."라고 말한다. 그 산천은 비린내와 노린내가 난다고 헐뜯고, 그 백성은 개나 양이라고 욕을 하며, 그 언어는 오랑캐 말이라고 모함하면서, 중국 고유의 좋은 법과 아름다운 제도마저 싸잡아 배척해 버린다. 그렇다면 어디를 본받아 나아가야겠는가?

*삼대(三代) : 고대 중국의 세 왕조. 하(夏), 은(殷), 주(周)를 이른다.
*제작(制作) : 규정이나 법식 따위를 생각하여 정함.

(라)

　문화에서 시원(始原)은 고유성의 기준이 될 수 없다. 시원을 고유성의 기준으로 삼는다면 인류가 지금 가진 문화나 문명의 고유성은 인류 최초의 문명인 이집트나 메소포타미아의 그늘에서 벗어나지 못할 것이다. 오늘날 누구도 프랑스의 고유성, 영국의 고유성, 중국의 고유성을 부인하지 않는다. 시원과는 관계없이 각국의 고유성을 인정하는 것이다. 오늘날 포도주는 프랑스를 상징하는 것 중의 하나이지만, 흄에 의하면, 포도나무가 프랑스에 이식된 것은 불과 2천여 년 전일 뿐이다. 그러면 어떻게 해서 포도주는 프랑스의 상징이 되었는가? 그것은 포도를 그들만의 방식으로 재배하여 그들만의 방식으로 양조, 관리, 유통하기 때문이다. 따라서 포도나무가 다른 나라에서 넘어왔다고 해도 프랑스 포도주의 고유성은 지켜질 수 있다. 즉 포도주가 한 나라에서 다른 나라로 소개되었을 때, 후자가 포도주를 자신들만의 것으로 발전시킨다면 포도주는 오히려 전자가 아닌 후자의 정체성의 상징이 될 것이다.

　이렇게 보면 전통은 전통적이지 않다. 지극히 현대적이다. 역사로서의 전통의 의미와 관련하여 영국의 문화 이론가 윌리엄스는 ⓔ '선별된 전통(selective tradition)'이라는 개념을 통해 과거의 수많은 문화 중에서 후세대가 선택한 것들만 전통으로 남게 됐다고 주장했다. 즉, 현재에 전통으로 존재하는 것은 과거의 문화 가운데 '현재의 필요'에 의해 선별되어 지속된 것이고, 반대로 외래 문화 역시 일방적으로 배척되거나 수용된 것이 아니라 오랜 시간에 걸쳐 현재의 필요에 따라 수용된 것이라는 말이다. 이런 보존과 수용, 배척이 오랜 시간 쌓여 현재의 문화가 되기 때문에, 무조건적으로 강요하거나 주장한다고 문화의 수용 여부가 결정되는 것은 아니다. 결국 문화는 특정 사회의 일부 모습이 아닌 해당 사회의 정치, 경제, 문화, 역사 등 모든 사회 구성 요소와 긴밀하게 연결되어 있는데, 그런 의미에서 어떤 문화를 이해할 때 그 민족의 생활 관습, 사고방식, 생산 양식, 인간관계, 신앙생활 등 여러 측면을 고려해야 한다.

[문제 2] (가)의 ㉠을 (나)를 바탕으로 평가하고, (라)의 [사례]에 대하여 ㉡과 ㉢을 활용하여 서술하시오. (50점, 750±50자)

(가)

직업은 개인에게는 자아실현의 장이며, 사회적으로는 사회참여의 통로가 된다. 그러나 본래 직업의 의미는 생계유지에 필요한 경제력의 획득에서 시작되었음은 부정할 수 없다. 동양에서 한자어 '직업(職業)'의 '직(職)'은 사회적 지위나 역할을 의미하고, '업(業)'은 생계를 유지하는 노동을 뜻한다. 서양에서 직업을 뜻하는 영어 '아큐페이션(occupation)'이나 '잡(job)'은 보수와 금전을 획득하는 경제력의 근원으로, 생계유지를 위해 일을 한다는 뜻이다.

오늘날 직업의 형태는 매우 다양하고, 직업들 사이의 귀천(貴賤)은 없다. 하지만 직업은 경제력을 포함한 사회적 자원을 획득하기 위한 주요 수단이 되기 때문에, 현실적으로 사람들은 사회적 자원을 획득하기 용이한 직업을 선호하게 된다. 이러한 경향은 사회적 불평등이 심화될수록 더욱 강하게 나타난다. 결국, 직업의 선택에도 경쟁이 발생하게 되며 분배 기준이 필요하게 된다.

사람들은 일반적으로 직업 선택의 분배 기준으로 '학력'이 비교적 공정하다고 생각한다. 학력은 개인의 배경이 아닌 능력과 노력에 의하여 결정되는 것이기 때문에 다른 기준에 비해 공정하다는 것이다. 따라서 ㉠ **좋은 학교를 나와 좋은 직장에 들어가는 것을 개인의 능력과 노력에 대한 대가로 당연하게 여기는 현상**이 나타나게 된다.

(나)

재산, 권력, 사회적 지위, 교육 수준 등과 같은 가치 있는 사회적 자원은 모든 사람이 골고루 나누어 가질 수 있을 만큼 충분하지 않다. 따라서 사람들은 이를 얻기 위해 규칙에 따라 경쟁을 하거나 분배 기준을 정하여 나눈다. 그 결과 어떤 사람들은 다른 사람들에 비해 더 많은 사회적 자원을 가지게 된다. 이와 같이 사회적 자원이 차등적으로 분배되어 개인이나 집단이 평등하지 못한 상태를 사회 불평등이라고 한다.

사회적 자원을 나누는데 적용되는 분배 기준으로는 신분, 필요, 능력, 업적 등이 있다. 전통 사회에서는 주로 신분에 따라 분배가 이루어졌지만 신분제가 사라진 오늘날에는 능력에 따른 분배가 이루어지고 있다. 능력에 따른 분배는 개개인의 직무수행에 필요한 전문적 지식과 자질에 따라 입학이나 취업의 기회, 소득이나 사회적 지위 등을 분배하는 것을 말한다. 능력에 따른 분배는 개인이 투자한 시간과 노력을 보상하고 업무의 효율성을 높일 수 있다는 장점이 있다.

이러한 ㉡ **능력주의**를 긍정하는 입장에서는 사회 불평등 현상의 원인을 개인의 능력과 노력의 차이에 따른 것이라고 본다. 능력과 노력의 차이에 따라 서로 다른 보상을 받는 것은 당연한 것이며, 이러한 차별적 대우가 오히려 사회 전체의 부를 증가시켜 사회 유지 및 발전에 이바지한다고 생각한다.

그러나 능력주의에 대하여 사회적·문화적 배경을 분리한 개인의 능력 측정은 사실상 불가능하므로 신분제와 마찬가지로 부의 대물림 현상이 나타날 수 있다는 문제점을 지적하는 견해도 있다. 더 나아가 능력의 부족으로 경쟁에서 패배한 사람들은 사회적 약자로 전락하게 될 뿐만 아니라 그 책임을 자신의 능력 부족 탓으로 여기며 극심한 좌절에 빠지게 된다. 이러한 좌절은 상위 계층에 대한 분노로 전환되어 사회갈등을 야기할 수 있다.

(다)

다양한 이해 갈등 문제를 공정하게 해결하기 위해서는 사회 구성원 모두가 받아들일 수 있는 정의(正義)가 필요하다. 이러한 정의를 바라보는 데는 ⓒ **두 가지 관점**이 존재한다.

자유주의적 정의관은 누구나 독립된 자아로서 자유로운 선택을 할 수 있다는 자유주의 사상을 바탕으로 한다. 근대 시민 혁명을 전후로 등장한 자유주의 사상에서는 개인의 독립성과 자율성을 우선시하며 개인의 자유에 최고의 가치를 부여한다. 또한 개인이 자유롭게 이익을 추구함으로써 사회 전체의 부가 증가한다고 보며, 국가는 국민의 자유와 권리를 보호하기 위해 존재한다고 주장한다. 특히 노직으로 대표되는 자유지상주의적 정의관은 개인의 권리와 자유를 보호하고 존중하는 것이 정의라고 보고, 타인의 침해로부터 개인을 보호하기 위한 역할만을 수행하는 최소국가가 정당하다고 주장한다.

반면, 공동체주의적 정의관은 공동체의 전통과 규범을 중시하는 공동체주의를 바탕으로 한다. 공동체주의에서 개인은 독립적으로 존재하는 것이 아니라 공동체의 구성원으로서 존재하며, 일정한 책임과 의무를 부여받는다. 따라서 공동체 구성원들은 누구나 공동체가 추구하는 공익과 공동선을 달성하기 위해 책임과 의무를 성실히 이행하는 것이 옳다고 주장한다. 또한 공익과 공동선이 실현되면 자연스럽게 개인의 자유와 권리의 보장뿐만 아니라 행복한 삶도 가능하다고 본다.

(라)

사회 불평등은 어느 사회에서나 나타나는 보편적인 현상이다. 그러나 계층 간의 양극화 현상이 심화되어 소수의 상위 계층 사람들이 희소한 사회적 자원의 대부분을 차지한다면 사회적 갈등이 심해지고 사회통합이 어려워진다. 따라서 사회적 약자에 대한 차별을 해소하기 위하여 [사례]와 같은 적극적인 우대 조치가 고려되는 경우도 있다. 그러나 적극적 우대 조치는 역차별을 초래할 수도 있으므로 이에 대해서는 찬성과 반대의 관점이 첨예하게 대립한다.

> **[사례]**
>
> A대학교의 경우, 최근 3년간 신입생의 60%가 소득 상위 20% 이상의 가정 출신이었다. 이에 A대학교는 2020학년도 정원 내 모집 전형에서 '기회 균형 선발 특별 전형'의 입학생 정원을 확대하는 정책을 시행하기로 결정하였다. A대학교에는 두 가지 전형이 있는데, 일반 전형에는 고등학교 학력을 지닌 학생은 누구나 지원할 수 있으나, 기회 균형 선발 특별 전형은 저소득층, 농어촌 지역 학생들만이 지원할 수 있다.

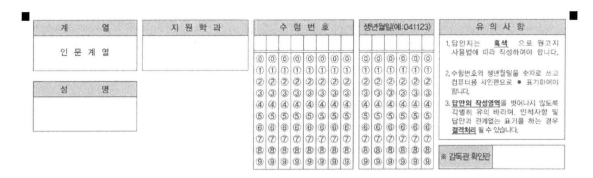

【1번】 답안 (반드시 해당 문제와 일치하여야 함)

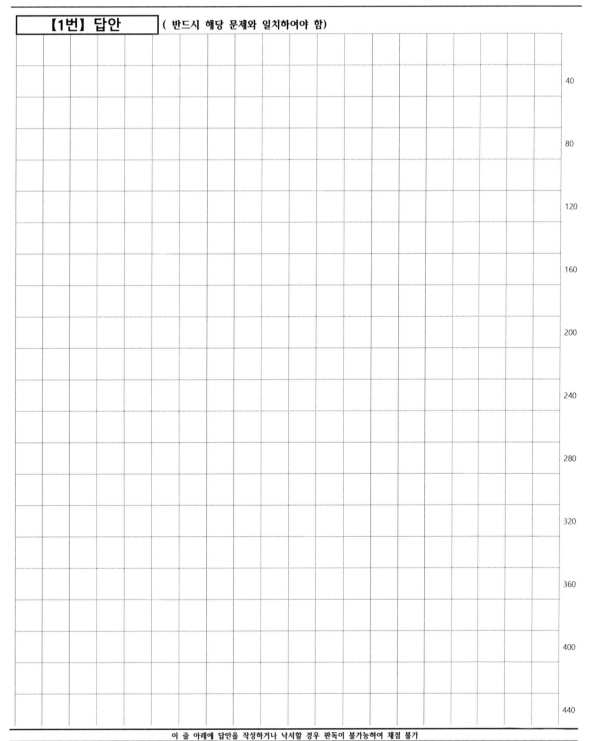

40
80
120
160
200
240
280
320
360
400
440

이 줄 아래에 답안을 작성하거나 낙서할 경우 판독이 불가능하여 채점 불가

480

520

560

600

640

680

720

760

800

【2번】 답안 (반드시 해당 문제와 일치하여야 함)

																480
																520
																560
																600
																640
																680
																720
																760
																800

160

13. 2021학년도 광운대 모의 논술

[문제 1] ㉠을 (다)의 내용과 연관시켜 설명하고, ㉡에 대한 (나)의 입장을 (다)의 내용을 활용하여 서술한 다음, ㉢을 (라)의 관점에서 논술하시오. (50점, 750±50자).

(가)

피노키오는 빠르게 사람을 닮아간다. 제페토 할아버지가 몸을 다 만들기도 전에 장난을 치기 시작하더니 다리가 완성되자마자 집을 뛰쳐나가 말썽을 부린다. 세상의 유혹에 끌리기도 하지만, 유혹을 뿌리치려고 노력하기도 한다. 자유를 만끽하는 만큼 자유의 제약 또한 뼈저리게 경험한다. 욕심이 지나쳐 자기 몸을 상하게 하기도 하며, 많은 실수를 저지르고 후회하기도 한다. 보통 사람들처럼 희망의 기만만큼이나 고뇌의 결실 또한 체험한다. 무엇보다도 ㉠ **늘었다 줄었다 하는 자신의 코**처럼 거짓과 진실 사이에서 갈등한다. 그러면서도 언젠가는 인간과 똑같이 되리라는 열망을 버리지 않는다. 결국 피노키오는 꼭두각시가 아니라 진짜 어린이가 된다. 그것도 착한 어린이가 된다. 그래서 피노키오의 조물주인 제페토 할아버지도 이루 말할 수 없이 행복해진다.

(나)

로봇은 그 자체가 의인화에 빠지기 쉬운 대상이다. 인간형 로봇을 개발하는 학자들이 있어서 이 의인화가 더 쉽게 이루어진다. 그 결과 로봇이 인간을 대신한다든지, 인간의 일자리를 빼앗아간다든지 하는 생각을 하게 된다. ㉡ **로봇의 의인화**에 대한 주장은 인간과 동등하지도 않고 동등하려고 해서도 안되며 동등할 수도 없는 로봇을 인간의 수준으로 끌어올리는 것이나 다름없다. 또 반대로 인간을 노동의 수단으로 끌어내리는 것이 된다. 지금 로봇은 인간을 위해 사용되는 하나의 수단에 불과하다.

(다)

인공지능 발달은 우리에게 두 가지 새로운 과제를 던진다. 첫째는 인류를 위협할 지도 모를 강력한 인공지능을 우리가 어떻게 통제할 것인가의 문제이다. 로봇에 대응하는 차원에서 로봇이 지켜야 할 도덕적 기준을 만들어 준수하게 하는 방법이나, 살인 로봇을 막는 국제 규약을 제정하는 것이 접근 방법이 될 수 있다. 또한 다양한 상황에 관한 사회적 합의를 담은 알고리즘을 만들어 사회적 규약을 벗어나지 않는 범위에서 로봇이 작동하게 하는 방법도 모색할 수 있다. 설계자의 의도를 배반하지 못하도록 로봇이 스스로 무력화할 수 없는 원격 자폭 스위치를 넣는 것도 가능하다. 인공지능 로봇이 인간의 통제를 벗어나지 못하게 과학자들은 다양한 기술적 방법을 만들어 내고, 입법자들은 강력한 법률과 사회적 합의를 적용할 것이다.

둘째는 생각하는 기계가 모방할 수 없는 인간의 특징을 찾아 인간의 가치를 높이는 것이다. 즉 로봇이 아니라 인간을 깊이 생각하고 인간 고유의 특징을 활용하는 것이다. 인공지능이 마침내 인간의 의식 현상을 구현해 낸다고 하더라도 인간과 인공지능은 여전히 구분될 것이다. 인간에게는 감정과 의지가 있기 때문이다. 감정은 비이성적이고 비효율적이지만 인간됨을 규정하는 본능으로 감정에 따라 판단하고 의지적으로 행동하는 인간에게 감정은 강점이면서 동시에 결함이 된다. 논리적으로 설명할 수 없는 인간의 행동은 대부분 감정과 의지에서 비롯된다. 인류는 진화의 세월을 거쳐 공감과 두려움, 만족 등 다양한 감정을 발달시켜 왔다. 인간의 감정과 의지는 수백만 년의 진화 과정에서 인류가 살아남으려고 선택한 전략의 결과이다.

인공지능 시대에 인간을 인간답게 만드는 것은 무엇보다 결핍과 그에 따른 고통이다. 인류의 역사와 문명은 이러한 결핍과 고통에서 느낀 감정을 동력으로 발달해 온 고유의 생존 시스템이다. 처음 마주하는 위협과 결핍은 두렵고 고통스러웠지만, 인류는 놀라운 유연성과 창의성으로 대응해 왔다. 이것은 기계에 가르칠 수 없는 속성이다. 그래서 인간의 약점은 인간과 기계를 구별하는 최후의 요소라고 할 수 있다. 우리는 기계를 설계할 때 부정확한 판단과 인식, 감정에서 비롯한 변덕스럽고 비합리적인 행동, 망각과 고통 같은 인간의 약점을 기계에 부여하지 않는다. 인간은 우리가 기계에 부여하지 않을, 이러한 부족함과 결핍을 지닌 존재이다. 하지만 거기에 ㉢ **인공지능 시대 우리가 가야 할 사람의 길**이 있다.

(라)

실존주의에서 강조하는 실존이란 구체적인 상황에서 어떤 선택을 할 수밖에 없는 인간을 말한다. 그런데 문제는 실존으로서 인간은 그 누구도 피할 수 없는 고통이나 죽음 또는 전쟁과 같은 한계 상황에 놓여 있다는 점이다. 이러한 상황에서는 보편적인 윤리 원칙이 아니라 오로지 개인의 주체적 결단이 요구될 수밖에 없다. 또한 오로지 이러한 결단을 통해 그 개인의 정체성이 형성되는 것이지, 인간의 보편적인 본질이 선행하는 것이 아니다. 실존주의는 과학 기술이 인간의 삶을 압도하는 상황에서 개인의 주체적 결단을 통해 인간 개인에게 존엄성을 부여하고자 하는 것이다. 이렇게 존엄한 개인은 그 결단의 결과에 대해서는 당연히 책임을 지는 주체적 존재이다.

현대의 실존주의 사상은 과학 기술의 발전과 더불어 복잡해진 사회 구조 속에서 인간이 기계의 부품처럼 수단으로 전락한 채 한없이 무기력해질 수 있는 상황 가운데, 인간의 근본적 존엄성을 말하며 개인으로서 정체성을 회복하고 인간 스스로 주체성을 상실해서는 안 된다고 강조한다. 실존주의 윤리 사상은 '나'라는 존재는 단순히 보편적 인간적인 것을 넘어 그 무엇과도 바꿀 수 없는 주체적 개인이라는 점을 강조함으로써 내 삶의 근본적 의의를 성찰하도록 한다.

[문제 2] ㉠과 ㉢의 공통점과 차이점에 대하여 ㉡과 ㉣을 활용하여 각각 설명한 다음, (나)의 내용을 사례로 활용하여 ㉤에 대하여 설명하시오. (50점, 750±50자)

(가)

㉠ <u>마녀사냥</u>을 어떻게 해석해야 할까? 현대인의 눈으로 보면 그냥 광기라고 할 수밖에 없다. 그러나 그렇게만 말하고 끝날 일은 아니다. 그 시대 그 사회의 관점에서 보면 마녀사냥은 광기가 아니라 ㉡ <u>사회 질서를 유지하기 위한 합리적인 행위</u>였을 수 있다. 흔히 마녀사냥을 중세적 현상이라고 생각하기 쉬우나 사실은 근대 초의 현상이다. 마녀 사냥이 가장 극성을 부렸던 시점은 근대 유럽에서 계몽의 시대, 이성의 시대에 해당하는 시기이다. 마녀사냥은 본질적으로 근대적 현상인 것이다.

근대로 들어오면서 일반 민중들은 정치적으로, 종교적으로 큰 에너지를 띠게 된다. 통치자의 입장에서는 이들을 그 상태 그대로 방치해서는 안 되고 질서 체계 안으로 끌어들여야 할 것이다. 질서를 부과한다는 것은 곧 그것을 거부하는 자들을 억압하거나 배제한다는 것을 뜻한다. 근대의 권력 당국, 곧 국가와 종교는 그들의 권위에서 벗어나려는 자들을 제거하고 모든 사람들이 복종하는 태도를 갖도록 만들고자 했다. 국가는 종교로부터 이념을 빌리고 종교는 국가로부터 힘을 얻는다. 근대 국가는 '균질한 영혼'들이 국가 기구에 복종하도록 만들어야 했고, 이것이 마녀사냥이 결과적으로 행한 역할이라 할 수 있다.

마녀사냥과 유사한 현상, 타자를 혐오하고 배척하는 현상은 언제나 있었다. 사회 전체를 근본적으로 위협하는 불순한 세력! 그것은 히틀러에게는 유대인이었고, 파시스트들에게는 공산주의자들이었다. 과거 권위주의 독재 정권 시절 한국 사회에서도 국민 대다수 혹은 사회적 약자들의 정당한 인권을 요구하는 사람들에게 '국가 전복 세력' 혹은 '빨갱이'라는 낙인을 찍어 마녀사냥을 일삼았던 시절이 있었음을 떠올려보면 마녀사냥이 결코 먼 옛날이나 다른 나라에서 벌어진 일이 아니었음을 알 수 있다. 심지어 오늘날 성소수자나 외국인 노동자, 난민에 대한 혐오와 비하를 부추기는 일부 사람들의 태도에서도 이와 유사한 태도를 찾아볼 수 있다. 때때로 권력은 일부러 그런 위험 세력을 조작해 내서 사람들을 선동하려 한다. 그런 조작이 너무나도 쉽게 받아들여진다는 사실 자체가 우리 내면에 '마녀사냥'식의 충동이 여전히 잠재해 있음을 짐작하게 한다.

(나)

오늘날 캐나다와 오스트레일리아는 이민자들의 나라이자 성공한 다문화 사회로 널리 알려져 있다. 글로벌 시대 다문화 사회화의 모범적 사례에 해당하는 두 나라의 ㉢ <u>다문화 정책</u>은 다양한 이민자 집단들 간의 차이와 이질성을 포용하는 문화적 관용의 결과이다.

하지만 두 나라가 원래부터 그랬던 것은 아니다. 유색 인종을 인간 이하의 존재로 간주하는 인종 차별주의적 편견이 지배했던 과거에는 이들 나라에서도 소수 민족의 문화를 부정하고 원주민들을 학대하거나 차별하는 것을 당연시했다. 구대륙으로부터 이주해 온 초창기 백인들은 원주민들의 문화를 무시하고 경멸했다. 백인 이주민들에게 토착 유색 인종은 이성이 결여된 열등한 민족이자 문명을 학습하기 어려운 사회부적응자였으며, 사회의 질서와 안녕을 위협하는 잠재적 범죄자로 간주되곤 했다. 백인 우월주의적 편견을 바탕으로 시행된 인종 차별 정책으로 인한 심각한 사회 갈등은 1970년대까지 지속되었다.

이들 두 나라는 이처럼 오랫동안 진통과 갈등을 겪은 이후 서서히 문화 다양성을 존중하는 정책을 도입하게 되었다. 2008년 오스트레일리아와 캐나다 정부는 과거의 정책에 대해 공식적으로 원주민들에게 사과하였다. 과거에 대한 반성을 바탕으로 두 나라는 다양한 집단의 언어 및 문화를 인정하고, 인종이나 민족 등에 따른 차별을 금지하게 되었다. 이들 사례는 문화적 다양성을 인정하고 공존을 추구하는 것이 사회통합과 질서 유지에 훨씬 더 유익한 것임을 증명하고 있다.

(다)

"만약 내가 사는 곳에 전쟁이 나고, 먹을 게 없어 온종일 굶거나 힘든 노동을 해야 한다면 어쩌죠? 집도 없이 이곳저곳을 떠돌아야 한다면 나는 어디로 가야 할까요?" 난민 수용에 대해 반대 목소리를 높이는 사람들, 낯선 타자와 만남을 두려워하고 거부하는 수많은 사람들에게 나는 난민의 입장, 타자의 관점에 서서 생각해보라고 말하고 싶다.

우리의 삶은 타자와의 만남에서 시작된다. 나의 삶은 타자의 호소와 명령에 응답함으로써 비로소 가능해진다. 타자란 정복과 배제의 대상이 아니라 존중과 환대를 해야 할 공동체의 일원인 것이다. 어떤 사람도 2등 시민으로 차별되어서는 안 되며, 또 어떤 방식으로도 착취되어서는 안 된다. 우리는 어떠한 형태의 지배와 남용도 배격해야 한다. 이러한 타인에 대한 환대의 자세는 세계 시민주의의 바탕을 이룬다.

세계 시민주의의 역사적 기원은 고대 그리스의 폴리스에서 찾아볼 수 있다. 도시를 건설하여 다양한 인종들이 모여 살기 시작한 아테네인들의 삶의 원칙은 '필로크세니아 (philoxenia)'였다. ㉣ **필로크세니아**는 그리스인들의 이방인에 대한 존경과 배려를 의미한다. 호메로스의 『일리아드』와 『오디세이』에서 종종 신은 '가난한 낯선 자'로 변장해 인간을 찾아온다. 남루한 농부로 변장한 주피터와 머큐리 신들이 쉴 곳을 찾을 때 대부분의 아테네인들은 거절했지만, 가난한 노부부인 빌레몬과 바우키스는 이들을 성심성의껏 대접하였다.

(라)

모든 과학 활동은 패러다임에 의해 규정된다. 패러다임이란 한 시대 특정 분야의 학자들이나 사회가 공유하는 이론이나 법칙, 지식 체계, 가치를 의미하는 말이다. 넓게는 시대의 주류적 가치관이나 사고방식을 의미하기도 한다. 예를 들면 고대부터 중세에 이르기까지 태양이 지구를 중심으로 돈다고 생각하는 천동설이 지배하던 시대에 지구가 태양 주위를 중심으로 돈다는 지동설이 등장한 것은 패러다임의 코페르니쿠스적 전환으로 볼 수 있다.

과학은 절대적 진리가 아니라 시대적 이념의 틀에 규정되고 제한을 받는다. 항시 당대를 지배하는 이념은 사실의 수집이나 관찰조차 제한하며 인식의 기준을 강제하기 때문에, 경우에 따라서는 과학자들이 침묵하거나 과학적 진실조차 왜곡하기도 한다.

　사회 집단도 과학 활동과 마찬가지로 시대적 패러다임에 의해 사고의 틀을 제한받는다. 새로운 진실이 거짓을 이기고 새 패러다임으로 전환되는 것은 상당한 시간 동안 더 많은 관련 진실이 봇물처럼 쏟아지고 난 후에도, 시대적 편견의 혹독한 공격에 의한 희생을 당한 후에야 가능하다. 즉 ⓜ **패러다임의 전환은 매우 더디고 어려운 복잡한 사회적 과정을 거쳐야 한다.**

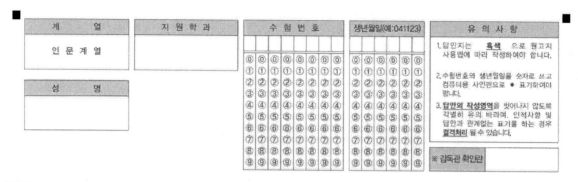

【1번】답안 (반드시 해당 문제와 일치하여야 함)

40

80

120

160

200

240

280

320

360

400

440

어 줄 아래에 답안을 작성하거나 낙서할 경우 판독이 불가능하여 채점 불가

480

520

560

600

640

680

720

760

800

이 줄 위에 답안을 작성하거나 낙서할 경우 판독이 불가능하여 채점 불가

【2번】답안   (반드시 해당 문제와 일치하여야 함)

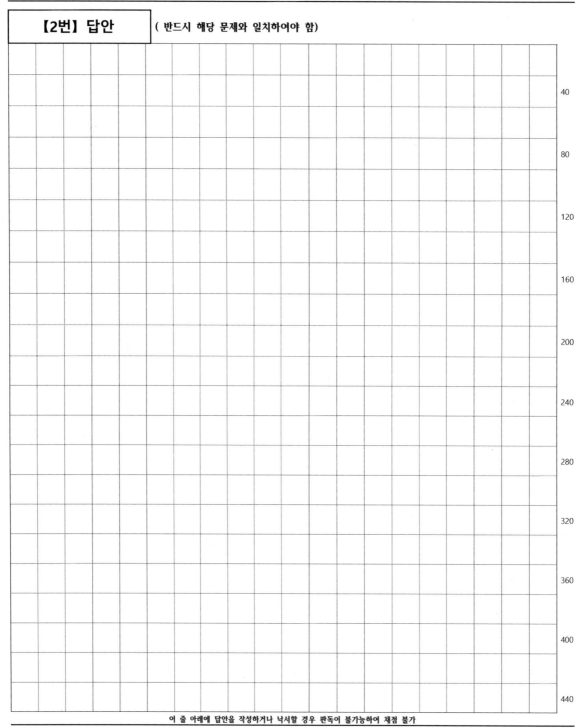

						40
						80
						120
						160
						200
						240
						280
						320
						360
						400
						440

이 줄 아래에 답안을 작성하거나 낙서할 경우 판독이 불가능하여 채점 불가

480

520

560

600

640

680

720

760

800

VI. 예시 답안

1. 2025학년도 광운대 모의 논술

[문제 1] ㉠을 (나)를 활용하여 설명하고, ㉡을 (라)의 관점에서 서술한 다음, ㉢을 (가)와 (다)를 활용하여 비판하시오. (50점, 750±50자).

> (가)에서 반달리즘은 기존 대상을 다르게 표현하거나 사용하는 경향으로 (나)의 초현실주의 기법인 데페이즈망에서 찾을 수 있다. 데페이즈망은 어떤 대상을 기존 맥락에서 떼어내서 다른 상황에 둠으로써 낯설고 기이한 장면을 표현하는 것이다. 데페이즈망은 상식과 현실에서 일탈을 꾀하고 기존의 논리와 법칙을 다양한 방식으로 파괴함으로써 새로운 창조를 이끌어 내는 것으로 예술뿐 아니라 경제와 산업 영역에도 적용된다.
>
> 경쟁에 따른 약육강식의 문제는 (라)의 이상 사회론의 관점에서 비판받을 수 있다. 대동사회를 제시한 공자와 유토피아를 주장한 모어는 공통적으로 모두가 부당한 차별을 받지 않는 공정한 사회를 주장하며, 과학과 자본주의가 낳은 물질 만능과 비인간화, 지나친 경쟁으로 개인의 이익과 권리만을 추구하는 이기주의를 비판한다.
>
> (마)에서 실패를 용납하지 않는 것은 (가)에서 창의성과 도전의 기회를 제공하는 놀이터와 (다)에서 제시한 자유 경쟁의 긍정적 관점에서 비판받아 마땅하다. (가)의 놀이터에서 아이들은 다양하고 창의적인 놀이를 즐기고, 놀이를 통해 새로운 것에 도전함으로써 스스로 방법과 깨달음을 찾는다. (다)에서 인간의 경쟁 본능과 이기심에 기반한 자유 경쟁은 개인의 행복과 사회의 이익을 달성하는 길이며, 진정한 경쟁은 서로를 인정하고 각자의 동기와 노력을 긍정적으로 이끌어 낼 수 있다. 4차 산업 혁명 시대의 국제 사회에서 선도자가 되는 길은 실패와 위험을 무릅쓴 창의적이고 도전적인 태도를 권장하고, 상대와 협력하고 공정하게 경쟁하는 자세를 갖추는 것이다. (778자)

[문제 2] ㉠을 (나)를 활용하여 설명하고, ㉡을 (다)를 활용하여 설명한 후, ㉢의 시각으로 (라)와 (마)를 정리해 서술하시오. (50점, 750±50자).

> 비합리적이고 열등한 집단이라는 의미의 대중(mass) 관점으로 보는 대중문화는 고급문화에 비해 열등한 문화라는 인식이 있다. 문화의 생산과정에 초점을 맞춘 이 시각에서 보면 대중문화는 대량으로 유통되기 때문에 획일화되기 쉽고, 문화적 다양성이 약화될 수 있으며, 선정적이거나 쾌락적이기 쉽다. 아도르노가 대중 음악을 두고 표준화되어 있어 음악 간에 별다른 차이가 없고, 수동적인 음악 감상만 조장하고, 사회적 접착제 역할을 한다고 비판한 것도 같은 의미이다.
>
> 다양한 다수들이라는 의미의 파퓰러(popular) 관점으로 본 대중문화는 문화의 소비나 수용 과정에 초점을 맞춘 개념으로서, 다수의 사람이 소비·향유하는 다양한 문화를 말한다. 1960년대 미국의 히피 문화는 주류 문화를 거부하며 자신들만의 공동체를 형성한 반문화인데, 정치적으로 베트남전 참전을 거부하며 독특한 패션 문화를 만들어냈다. 히피 문화야말로 그들의 생각과 사고를 문화로 보여준 사례인데, 문화에서 수용 과정의 중요함을 알 수 있다.
>
> 우리는 대중 매체를 비판적으로 봐야 한다. 대중문화는 사회화 제도이기에 (비)교육적 효

과를 갖기 때문이다. 여성 잡지의 광고를 분석한 어빙 고프먼은 광고 속 여성이 남성과 다르게 재현되는 것에 주목했다. 일하는 주체적인 남성과 촉각을 기다리는 수동적인 여성의 손으로 구분한 것이다. 이와 달리 매리 울스턴크래프트는 「여성 권리 옹호」에서 여성은 사랑을 기다리는 수동적 객체가 아니라 선택하는 주체로 나서야 한다고 주장한다. 이렇게 매체에 따라 여성을 다르게 그리기 때문에 비판적으로 바라보아야 한다. (782자)

2. 2024학년도 광운대 수시 논술 1

[문제 1] ㉠의 원인을 (나)를 참고해 서술하고, (나)와 대비되는 (다), (라)의 세계관을 설명한 뒤, 이와 가장 가까운 ㉡을 (마)에서 하나 골라 논술하시오. (50점, 750±50자)

환경 문제의 단기적 원인은 산업화와 도시화지만, 궁극적 원인은 인간이 자연을 정복해야 할 대상으로 여겨 무분별하게 개발했기 때문이다. 이러한 사고의 원형은 「창세기」에 잘 드러난다. 천지창조 과정에서 신은 인간만은 신의 형상대로 창조했기 때문에, 인간은 천지의 주체가 되고 자연은 객체가 되었다. 이처럼 동등한 관계가 아니라 수직적 관계로 형성된 것인데, 주체인 인간이 객체이자 대상인 자연을 지배하고 정복했기에 오늘날의 환경 문제가 발생했다.

자연과 인간의 관계에 대한 서양적 사고와 대비되는 동양적 사고는 (다)와 (라)에서 찾을 수 있다. 윤선도 시조의 "산수 간(山水間) 바회 아래 뛰집을 짓노라"나, "아마도 임천한흥(林泉閑興)을 비길 곳이 업세라"라는 표현을 보면, 인간이 자연을 지배하는 것이 아니라 자연 속에서 자연과 친화하는 세계관을 보여준다. (라)에서도 속세의 삶과 대비되는 자연 속의 이상적 삶을 그리면서 "청풍명월 외에 어떤 벗이 있으리오"라고 한다. 두 작품에서 자연은 속세의 번잡함과 대조되는 공간으로, 시적 화자는 물아일체의 자세를 지니고 있다.

자본주의가 만든 환경 문제를 자연 친화적 관점에서 해결할 수 있는 방법으로는 인공 광합성을 들 수 있다. 태양 에너지를 이용하여 에너지를 얻는 방안 가운데 하나인 인공 광합성은 태양 에너지를 광촉매로 이용해 물을 분해하고 그것에서 발생한 전자를 고에너지 물질에 저장한 뒤, 이를 사용해 기초 화학 원료를 만드는 것이다. 인공 광합성은 자연을 해치지 않고 그 원리를 이용해 에너지를 얻기 때문에 상대적으로 자연 친화적이다. (779자)

[문제 2] ㉠의 원인을 (나)를 활용하여 서술하고, ㉡의 이유를 (가)와 (라)를 활용하여 기술한 뒤, ㉢을 (다)의 정보 유형의 차이를 고려하여 설명하시오. (50점, 750±50자)

디지털 매체에서 가짜뉴스의 수가 늘어난 것은 이전 전통 매체와 구별되는 생산 환경 때문이다. 콘텐츠 생산과 유통량이 늘면서 가짜뉴스가 차지하는 비율이 이전과 같다고 하더라도 그 수가 늘어나게 되었다. 그리고 특별한 교육이나 자격증 없이도 누구나 생산할 수 있으므로 전문성이 낮은 사람들이 생산에 참여하게 되었는데 이 중에는 정보의 진위를 구별하는 노력을 게을리하거나 능력이 부족한 사람이 많다.

정치의 목적은 갈등과 대립을 조정하여 사회 구성원들이 인간답고 행복한 삶을 영위하도록 하는 것이다. 이를 위해 여론을 파악하여 이를 정책 결정에 반영한다. 그런데 가짜뉴스를 보고 형성된 개인의 의견은 그 정보가 가짜라는 점이 알려지면 사그라들게 된다. 여론의 근간이 되는 개인 의견이 안정적이지 않은 것이다. 한편, 언론은 추구하는 가치가 달라 언론사별로 편향성을 띤 기사를 제공한다. 이런 기사는 다른 사람들이 어떤 의견을 지니고 있는지를 잘못 판단하게 한다. 시민들은 이렇게 잘못 판단한 여론을 반영하여 펼친 정책을 수용하지 않는다. 이처럼 잘못된 사실과 의견 정보에 근거한 여론을 정책에 반영하면 사회 성원 간의 갈등 해소라는 정치 목적을 달성하기 어렵다.

　정보를 비판적으로 수용하기 위해서는 정보의 성격에 맞춰 기준을 달리 적용해야 한다. 사실 정보라면 진짜인지를 판단해서 가짜일 경우 배제해야 한다. 반면에 의견 정보라면 주관적이고 편향적일 수밖에 없다는 점을 고려하여, 근거가 논리적인지 그리고 편향성을 띠는 이유가 합리적인지를 따져야 한다. (756자)

3. 2024학년도 광운대 수시 논술 2

[문제 1] ㉠의 이유를 (나)와 (다)에서 찾아 설명하고, ㉡의 원인을 (라)를 활용하여 서술한 다음, ㉢을 (가)와 (마)를 연관지어 비판하시오. (50점, 750±50자)

　(나)에서 가짜 뉴스가 만들어지는 것은 조회수가 높은 뉴스일수록 고가의 광고가 배치되기 때문이다. 즉 눈길을 끄는 뉴스가 잘 팔리는 뉴스가 되는데 가짜 뉴스는 눈에 띄는 자극적인 요소들을 포함하면서 조회가 많아 높은 수익을 가져오는 것이다. (다)에서 근대에 일반 민중들이 정치적, 종교적으로 큰 힘을 가지게 되면서 권력 당국인 국가와 종교가 이들을 질서 체계 안으로 끌어들이고 이를 거부하는 자들을 억압하려고 하였다. 국가와 종교는 가공의 개념을 만들어서 무고한 희생을 강요하는 이른바 마녀사냥을 통해 그들의 권위에서 벗어나려는 자들을 제거하고 일반 민중들의 복종을 얻고자 한 것이다.

　(라)에서 참가자들이 고릴라 의상을 입은 학생을 인지하지 못했는데 이는 외부 정보가 많아 뇌가 이를 모두 처리하기 어려워 선택적으로 처리했기 때문이다. 즉 우리는 보고 싶은 것만 보고 보기 싫은 것은 보지 않는다. 진실보다 우리의 관심과 눈길을 사로잡는 가짜 뉴스가 뉴스를 믿는 기준으로 작용하여 거짓 정보가 진실로 받아들여지는 것이다.

　(가)와 (마)는 누구도 타인의 의견을 억압하거나 강요해서는 안 된다고 반박한다. 하버마스는 평등한 대화 상황에서 모두가 옳고 진실된 의견을 제시할 수 있어야 하며, 상대방이 이를 이해할 수 있어야 한다고 주장한다. 이러한 대화 상황에 부합하는 담론을 통해 공정하고 이상적인 합의에 도달할 수 있다. (마)는 어떤 사람이 나와 생각이 다르다고 해서, 그 사람에게 침묵을 강요하는 것은 옳지 못하다고 주장한다. 의견이 옳든 그르든 누구나 자신의 의견을 자유롭게 표현할 수 있어야 한다. (793자)

[문제 2] ㉠의 발전 과정을 (나)를 바탕으로 서술하고, ㉡을 (다)의 두 관점으로 설명한 다음, ㉢에 부합하는 ㉣을 (마)를 활용하여 설명하시오. (50점, 750±50자)

　인간 두뇌를 모방한 퍼셉트론은 초창기에 학습할 수 있는 정보가 제한되는 등 기계 학습에 한계를 보여 인간이 쉽게 푸는 기본적인 논리조차 제대로 풀지 못했다. 이러한 퍼셉트론을 사용하는 초창기 챗봇도 사전에 학습한 단어에 맞는 결과를 단어 형식으로 내놓는 데 그쳤고, ㉠에 도달하지 못했다. 오늘날 챗봇은 비지도 학습 방법을 사용한 사전 훈련으로 퍼셉트론을 최적화하는 심층 학습을 사용하므로, 다량의 자연어에서 높은 수준의 추상화 모델을 구축할 수 있게 되었다. 그 결과, 사용자가 긴 문장을 입력해도 로봇이 그 의미를 스스로 판단하고 그것을 종합해 결과를 내놓는 ㉠이 가능하게 되었다.

㉡에 대해 두 가지 상반된 관점이 존재한다. 유토피아 관점은 인공 지능 기술의 발전이 사회 각 분야에 난제를 풀고 인류의 삶을 윤택하게 할 것으로 본다. 즉, 컴퓨터의 지능이 발전함에 따라 인류가 당면한 수많은 문제를 해결할 수 있다고 본다. 반면에 디스토피아 관점은 인공 지능 기술의 발전이 부정적인 영향력을 가져올 것으로 본다. 예를 들어, 발전한 인공 지능이 인간의 일자리를 빼앗아 갈 수 있음을 우려한다.

㉣은 집을 수리하는 경험을 바탕으로 심각한 문제가 발생하지 않도록 미리 대비할 것을 주장한다. 따라서, (마)의 기술 영향 평가를 ㉣에 부합하는 ㉢으로 볼 수 있다. 기술 영향 평가를 통해 시민, 전문가, 관계 부처가 함께 인공지능과 같이 파급효과가 큰 기술이 국민 생활에 미치는 영향을 평가하여 기술의 적용 여부, 적용 범위를 결정하는 법과 제도를 사전에 정비할 수 있다. (770자)

4. 2024학년도 광운대 모의 논술

[문제 1] ㉠을 (가)와 (나)의 관점으로 설명하고, ㉡의 근거를 (다)에서 찾아 서술한 다음, ㉢의 이유를 (라)를 활용하여 논술하시오. (50점, 750±50자).

사람에게는 누구나 자신을 괴롭히는 가시가 있다. 사람들은 가시로 인해 고통스러워하고 삶을 혐오하지만 가시는 없애려고 할수록 더 고통스럽게 사람을 찌른다. 그러나 로트레크가 장애를 극복하고 걸작을 남겼듯이 우리가 가시를 어떻게 받아들이는가에 따라 인생의 가치를 높여 주고 인생을 소중하게 만든다. 우리 삶에서 가시는 우리가 겸허하게 인정하고 수용해야 할 대상이다. (나)에서 벤담에 따르면 인간의 모든 행위는 고통과 쾌락에 의해 결정된다. 인간은 누구나 고통을 피하고 쾌락을 추구하기 때문에 이것이 우리 행위의 목적이 된다. 공리주의에서는 인생의 가시인 고통은 행복이라는 결과를 얻기 위해서는 피하고 제거해야 할 대상인 것이다.

(다)에서 잃어버린 한 조각을 찾은 동그라미는 그전보다 더 빠르고 쉽게 구를 수 있었지만 벌레와 대화하기 위해 멈추거나 꽃 냄새를 맡을 수도, 나비가 앉아 쉴 수도 없었으며, 숨이 차서 노래를 부를 수도 없었다. 이처럼 완벽한 삶이 일상적 삶의 단면들을 망가뜨릴 수 있다. 모자람이 없는 삶이 인생에서 참된 행복을 의미하는 것은 아니다.

(라)의 목표 지향적 삶에서 사람들은 경쟁에서 낙오되지 않기 위해 속도를 빨리 낸다. 목표 지향적 삶에서는 목표가 하나이고 목표를 이루고는 그 끝에서 좌절하게 된다. 그러나 과정 지향적 삶에서는 목표보다는 경로가, 속도보다는 과정이 더 중요하다는 것과 인생길은 하나가 아니라 여러 개라는 사실을 깨닫고 인생이 더 깊고 넓어진다. ㉢에서 동그라미는 인생의 여정에서 고통이라는 짐을 받아들이고 목표와 속도가 아니라 경로와 과정이 더 중요함을 성찰하였다. (796자)

[문제 2] ㉠의 단점을 (나)와 (다)를 참조하여 설명하고, ㉡의 단점을 ㉢을 들어 설명한 후, ㉠과 ㉡의 대안을 (마)를 참조하여 서술하시오. (50점, 750±50자).

'용광로 이론'과 '샐러드 볼 이론'은 이민자를 대하는 태도에 따라 구분된다. 전자는 기존 사회의 문화와 가치 속에 다양한 문화권에서 온 이민자들을 융화하거나 흡수해야 한다고 보는 동화주의 관점으로, 동일성의 논리를 바탕으로 한다. 후자는 다양한 문화가 평등하게 인정되어야 함을 강조하는 다문화주의 관점으로, 자신의 문화를 유지하면서도 다른 문화들과 조화를 이루어 가야 한다고 보는 견해이다.

용광로 이론으로 (나)를 보면, 명확하게 서로 다른 독립적 자아와 상호의존적 자아 가운데서 한 자아는 주류가 되고 다른 자아는 비주류가 되어 주류에 흡수되어야 하는데, 이것은 매우 어려운 일이라는 것을 알 수 있다. 용광론 이론으로 (다)를 봐도, 힘이 있는 일제가 힘이 없는 조선인을 '강제로' 창씨개명 시키면서 일본인으로 만들려고 한 것이라 긍정적으로 평가하기 어렵다. 다문화주의 관점인 '샐러드 볼 이론'은 각 문화의 고유한 맛과 색을 유지할 수 있다는 장점을 지니지만, (라)의 리좀으로 보면, 큰 중심이 없고 작은 문화들끼리만 뭉쳐 살기 때문에 집단의 결속력을 해치고 큰 문화로 성장하기 어렵다는 단점이 있다.

용광로 이론과 샐러드 이론의 단점을 보완하기 위해서는 '문화 융합'이 필요하다. 한 문화가 주변 문화를 통합하거나, 반대로 다양한 문화가 난립하는 방식이 아니라 서구식 아파트에 전통 한옥의 온돌을 접목하듯이, 전통 한옥에 서구식 부엌을 접목하듯이, 서로 다른 문화가 융합하여 새로운 문화를 만들어야 한다. 이것은 강압적이지도 않고, 결속력을 해치지도 않는다. (765자)

5. 2023학년도 광운대 수시 논술 1

[문제 1] ㉠의 문제점을 (다)를 활용하여 설명하고 ㉡의 이유를 (가)와 (나)에서 찾아 서술한 다음, ㉢을 바탕으로 (라)를 설명하시오. (50점, 750±50자)

페놉티콘은 동심원 모양으로 배치된 감방으로 수감자의 모든 것이 중앙 탑에 있는 감시자에 의해 일방적으로 감시된다. 페놉티콘에서는 감시자가 누구이건 간에 이 익명의 감시자에게 노출될 위험과 관찰된다는 불안에서 벗어날 수 없다. 또한 페놉티콘에서는 비대칭적인 권력의 통제 속에서 개인이 은밀하게 감시되고 처벌이 분명하고 효과적으로 이루어진다. 밀실은 없고 광장만 있는 사회는 페놉티콘과 같다.

로크는 개인이 이성과 양심을 지니고 평화롭게 살아가므로 국가의 역할은 개인의 생명, 자유, 재산을 보장하는 것이며, 국가가 개인의 소유권이나 공동선을 침해할 경우 시민들이 정치권 저항을 할 수 있다고 주장한다. 그러나 남한에서는 정치가들이 사익을 위해 공익과 사회 질서를 해치는 온갖 일들을 자행하였으며, 북한은 개인의 욕망과 보상과 꿈이 보장되지 않는 사회였다. 남한은 진정한 광장은 없이 밀실만 있었으며, 북한은 진정한 밀실은 없고 광장만 있었다. 이에 이명준은 구성원들이 공동의 이념을 추구하고 실천하는 광장과 개인의 생각과 행동이 자유로운 삶이 있는 밀실을 찾아 중립국을 선택했다.

타인의 명예를 훼손하고 정신적으로 피해를 주는 행위인 사이버 폭력은 사이버 공간의 익명성으로 더욱 은밀하고 가혹하게, 때로는 집단적으로 이루어진다. 또한 사이버 공간에서는 개인 정보가 다른 사람에게 노출되거나 악용되는 사생활 침해가 나타난다. 이러한 사이버 공간상의 전자 페놉티콘에서 발생하는 비대칭적인 권력의 통제와 감시를 막기 위해서는 사이버 공간에서의 인권의 중요성과 책임 의식을 가져야 하며 자신과 타인의 개인 정보를 철저히 보호해야 한다. (798자)

[문제 2] ㉠의 원인을 (나)의 내용과 [도표 1], [도표 2]를 연관지어 분석하고, (다)의 두 관점으로 ㉡을 설명한 다음, ㉢을 해결하기 위한 노력을 (라)의 두 차원에서 논술하시오. (50점, 750±50자)

산업화와 도시화가 진행되면서 농가경제가 침체되고 농촌의 생활 수준이 떨어진 결과 ㉠이 발생하였다. 그래프 1과 같이 1960년대부터 국내 쌀 가격이 낮은 수준을 유지하고 밀가루 수입량이 증가하였다. 그 결과 그래프 2와 같이 부채 농가의 비중이 점차 증가하고 농촌에서의 삶이 어려워지면서 농업종사자의 비중이 점차 감소하였다.

기능론에 따르면 이러한 ㉡을 농촌의 식량 공급 기능과 도시의 공업 기능이 유기적인 관계를 맺고 사회 발전을 위하여 고유의 기능이 상호 의존적으로 작용한 결과이다. 반면에 상징적 상호작용론 관점에서는 ㉡ 이전에 거주민의 정체성, 유대감, 자부심의 공간으로 인식되던 농촌이 ㉡ 이후 소외된 공간으로 그 인식이 변화함에 따라 도시와 농촌 간의 차이가 바람직하지 못한 공간 불평등 문제가 된 것으로 본다.

㉢은 반세기가 넘도록 누적된 문제이므로 개인적이고 의식적인 차원과 사회적이고 제도적인 차원으로 나누어 문제를 종합적으로 해결하는 노력이 필요하다. 개인적이고 의식적 차원에서는 소외된 농촌을 배려하고 존중하는 공동체 의식과 농촌지역의 활성화를 위한 협동과 연대가 필요하다. 개인적인 기부, 봉사활동, 시민단체나 협동조합 등과 같은 지속성 있는 활동을 통해 장기적으로 농촌의 자립에 도움을 줄 수 있다. 사회적이고 제도적 차원에서는 도시와 농촌 간 불평등의 원인이 되는 사회 제도나 관행을 고치고 사회 연대 의식을 바탕으로 지역 격차 완화를 위한 정책을 마련해야 한다. 예를 들어, 고용과 교육에 있어 농촌지역에 실질적인 기회의 평등을 보장하는 적극적 우대 조치를 실시할 수 있다. (787자)

6. 2023학년도 광운대 수시 논술 2

[문제 1] ㉠을 (나)의 시각에서, ㉡을 (다)의 시각에서 각각 비판한 뒤, ㉢의 원인을 ㉣로 설명하고, ㉤의 대안을 (마)의 입장에서 제시하시오. (50점, 750±50자)

프랑스에서 부르키니를 반대하는 첫째 이유는 부르키니가 아랍권 문화에서 여성 억압이자, 여성 노예화의 상징이라고 생각하기 때문인데, 이것은 일방적인 생각이다. 여성들에게 급격한 근대적 환경이 오히려 불편할 수 있다. 제국주의 프랑스가 알제리에서 히잡 착용을 금지했을 때 알제리 여성들이 착용을 주장한 것도 이 때문이다. 문명화라는 일방적인 사고는 독단적 폭력이 될 수 있다. 공공장소에서 특정 종교를 드러내면 안 된다는 둘째 이유도

받아들이기 어렵다. 공간적 관점에 의하면, 이슬람의 복장은 강한 태양볕과 모래 바람을 막기 위해 이슬람이 전파되기 이전부터 중동에 존재했던 오랜 전통이다. 이것을 종교로만 보는 것은 편견이다.

프랑스에서의 주장은 오리엔탈리즘으로 설명할 수 있다. 오리엔탈리즘은 철저하게 서양의 관점에서 바라본 동양에 대한 이미지다. 서양의 관점에서 동양은 문명화되지 않은 야만 사회이기 때문에 이성적인 서양이 미개한 동양을 문명화시키고 지배하는 것이 정당화된다. 서양인 프랑스가 동양인 중동을 문명화시켜야 한다고 생각하기 때문에 부르키니를 착용할 수 없다고 주장하는 것이다.

부르키니 착용 금지를 성 불평등 현상으로도 볼 수 있는데, 이때 중요한 것은 여성들의 주체적인 선택을 존중해 주는 태도이다. 부르키니는 신앙을 지키면서 여가 활동도 즐기려는 서구의 이슬람교도 여성들이 '선택'한 것이다. 이렇게 보면 부르키니 금지야말로 위선적인 성차별주의이자 인종주의이다. 여성이 주체적으로 선택한 것마저 지켜주지 못하는 것은 차별적 사회화 과정에 해당한다. (761자)

[문제 2] (가)의 입장에서 ㉠의 원인을 분석하고, (다)에 드러난 ㉡의 두 가지 폐해를 (라)를 활용하여 설명한 후, ㉢과 ㉣에 해당하는 사례를 (마)에서 찾아 서술하시오. (50점, 750±50자)

호모 에코노미쿠스는 '자신의 이익을 합리적으로 추구하는 존재'이다. 효율성을 추구하는 합리적 선택을 위해서는 개인이 그 선택으로 인한 편익과 비용을 정확히 파악할 수 있어야 하지만, 각자가 보유하고 있는 정보의 격차로 인하여 현실적으로 그것이 불가능한 경우가 많다. ㉠의 조선 노동자들도 일본으로 가는 노동자를 모집하는 과정에서 정보 격차로 인하여 속아서 지상의 지옥 같은 일본 각지의 공장으로 몸이 팔려 가게 되었다.

정보의 비대칭성으로 역선택과 도덕적 해이가 나타나 시장 실패가 나타날 수 있다. 보험 회사가 보험 가입자의 사고 위험을 파악하지 못하는 경우 보험 회사는 평균적인 가격을 책정할 수밖에 없으며, 사고 위험이 낮은 사람은 보험에 가입하지 않고 사고 위험이 높은 사람만 보험 상품에 가입하게 되는 역선택이 발생하게 된다. 또한 보험 회사가 계약 당시 보험 가입자의 향후 행동을 예측하기 어렵고, 가입자가 사고를 예방하려고 노력하는지 여부를 알 수 없기 때문에 보험 상품에 가입한 사람이 사고 예방을 위한 노력에 소홀해지는 도덕적 해이 문제가 발생할 수 있다.

정보의 비대칭성을 개선하기 위한 방법으로는 정보가 부족한 쪽이 거래 대상에 대한 정보를 캐내기 위해 하는 선별과 정보가 많은 쪽이 정보를 알리기 위해서 하는 신호 발송이 있다. 금융 거래에서 금융 기관이 금융 상품의 내용이나 약관의 중요한 내용을 고객에게 설명하는 설명의무 제도를 통하여 금융 기관은 신호를 발송하고, 대출 시 신용점수를 조회하는 제도를 통해 적정한 고객을 선별한다. (761글자)

7. 2023학년도 광운대 모의 논술

[문제 1] (가)의 'A씨'와 'B씨'의 대답의 근거를 (나)의 내용을 활용하여 설명하고, (다)의 ㉠을 'B씨'의 관점에서 서술한 다음, ㉡의 이유를 (다)에서, 해결 방안을 (라)에서 찾아 논술하시오. (50점, 750±50자).

개인주의 문화권에 속하는 A씨는 개인이 고유하고 타인과 구분되며 자신이 타인과 주변 환경에 영향을 미치는 독립적인 존재라고 생각한다. 따라서 그림의 주인공 주변 사람들의 표정과 무관하게 두 그림 모두 주인공이 행복하다고 답한다. 이에 반해 집단주의 문화권의 B씨는 인간은 타인과 조화롭게 살아가는 존재로 인식하며 주변 환경에 적응하고 질서를 따르는 상호의존성을 추구한다. 따라서 B씨는 주변 사람들이 불행한 표정을 짓는 그림 속 주인공은 행복하지 않다고 대답한다.

㉠에 대해 B씨의 관점에서 유행은 사회적 의존과 타인과의 결합 욕구와 관련된다. 유행은 개인을 누구나 다 가는 길로 인도하며 관계의 힘이 클수록 집단의 흐름에 따라가게 되는데 이는 개인이 속한 집단으로부터 뒤떨어지지 않았다는 안도감을 준다.

자존감은 개인이 자신에 대해 내리는 평가로 낮은 자존감을 극복하기 위해 사람들은 쉽게 자아를 높일 수 있는 유행을 따른다. 유행하는 물건을 소유함으로써 자존감이 올라가므로 소비를 통해 자아를 긍정적으로 유지하고 싶어 한다.

(라)에서 스토아 학파는 사람들은 내면의 행복과 무관한 정념에서 벗어나 어떤 외부의 상황에도 동요되지 않는 정신의 의연함인 아파테이아를 추구해야 한다고 주장한다. 맹자는 사람들이 외부의 영향을 받으므로 이에 동요하지 않는 부동심을 가져야 한다고 말한다. 감각은 외부에 의해 영향을 받아 무절제와 욕망에 빠지는데 이는 마음이 제 역할을 하지 않아서이다. 따라서 유행이라는 외부 환경에 우리의 정념과 감각이 이끌리지 않도록 이성에 따른 아파테이아인 부동심을 갖춤으로 긍정적인 자아를 유지하자. (800자)

[문제 2] ㉠과 ㉡의 관점에서 ㉢을 설명한 후, ㉢을 해결하기 위한 방법을 (다)와 (라)를 참조하여 각각 서술하시오. (50점, 750±50자)

흑인에 대한 차별을 기능론의 관점에서 보면 정당화된다. 기능론에 따르면, 개인의 능력이나 사회적 기여도에 따른 차등 분배로 인한 불평등은 구성원들의 성취동기를 높이고, 인재를 적재적소에 배치하게 되므로, 사회 유지와 발전을 위해 불가피하다. 흑인은 백인에 비해 사회적으로 중요한 일을 할 수 없고 저임금의 육체 노동에 합당하기 때문에 차등을 받는 것은 당연하다. 반면 갈등론에 따르면 정당화될 수 없다. 이 시각의 사회 불평등 현상은 지배 집단이 자신의 기득권을 유지하기 위해 사회적 자원을 불공정하게 분배한 결과이다. 인종 분리와 차별을 제도화한 법들로 인해 흑인은 백인과 동등하게 교육받을 수 없어 고급 인력이 될 길이 차단당했는데, 이것은 지배 집단의 권력 및 강제에 의한 것으로, 기존의 불평등한 계층 구조를 재생산한 것이다.

흑인에 대한 차별을 없애기 위해 다)에서는 직접적으로 차별 금지 소송을 하는 것을 제안한다. "모든 국민은 법 앞에서 평등하다."라는 헌법이 있음에도 차별이 존재하는 것은 법을 해석, 적용, 시행하는 과정에 문제가 있기 때문이다. 그래서 차별 금지 소송을 통해 새로운 법률을 제정하고, 그 과정에서 시민들의 의식도 향상될 것이라고 본다. 라)의 하버마스는 합법적인 규정이라도 헌법 원칙에 어긋나는 때에는 시민 불복종의 가능성이 발생한다고 본다. 시민 불복종은 정당하지 않은 규정을 수정하거나 개혁할 수 있는 마지막 가능성이고, 성숙한 정치 문화를 구성하는 필수적인 요소이다. 다만 시민 불복종을 행하기 위해서는 다수의 공감대가 형성되어야 하는데, 이를 공론장에서 해야 한다고 주장한다. (795자)

8. 2022학년도 광운대 수시 논술 1

[문제 1] ㉠에 대해 (가)와 (다)의 관점을 대비시켜 서술하고, ㉢의 근거를 (나)의 내용을 활용하여 설명한 다음, ㉡의 주장을 (라)의 내용을 활용하여 비판하시오. (50점, 750±50자)

> (가)는 지식이나 규범이 실제 삶의 문제를 해결하고 유용한 결과가 있다고 판단될 때 진리라고 주장한다. 소가 다니는 길은 집이라는 유용한 결과를 가져왔기 때문에, 즉 ㉠에서 그것이 유용하기 때문에 참인 진리로 수용될 수 있다. 반면에 (다)에서 바이오혁명과 같은 과학의 미래 결과를 현재로서는 예측하기 어렵다. 또한 과학 기술 지식의 진위를 판단하는 정당화 과정에서 과학자의 주관적인 감정이나 가치가 개입되면 객관적으로 타당한 지식을 발견할 수 없다. 따라서 진리와 가치(유용성)의 판단은 분리되어야 한다.
>
> (나)에서 과학 활동이 한 시대나 사회가 공유하는 가치관과 사고방식인 패러다임에 의해 제한을 받는다. 시대적 패러다임은 과학적 사실의 수집과 관찰을 제한하고 인식의 틀을 규정하기 때문에 과학자들이 절대적인 진리에 대해 침묵하거나 과학적 진실을 왜곡하게 한다. 또한 새로운 과학적 진실이 수용되려면 수많은 관련 진실이 시대적 편견의 공격에 희생을 치르는 혹독한 과정을 거쳐야 한다. 이에 ㉢의 가치중립이 요구된다.
>
> ㉡에 대해 (라)는 과학자의 미래 책임을 묻는다. 과학자는 자신의 행동과 그 결과에 관한 사후적 책임이 아니라 자신의 행위로 인해 앞으로 발생할 결과에 관한 당위적인 미래 책임을 져야 한다. 책임의 대상이 과학자의 시공간적 범위 밖에 있더라도 과학적 행위에 의해 영향을 받기 때문에 과학자의 책임 영역 안에 있다. 과학적 행위가 미래 사태의 원인이기 때문에 결과인 사태는 과학자의 책임인 것이다. 따라서 과학자는 원자 폭탄이 가져올 예상 가능한 미래의 결과에 대해 엄격한 책임을 져야 한다. (798자)

[문제 2] ㉠을 (나)를 바탕으로 설명하고, (라)를 활용하여 ㉡을 (다)의 대응 방식에 따라 서술하시오. (50점, 750±50자)

> ㉠은 두 가지 측면에서 (나)의 시장 실패의 문제이다. 첫째, 경제 주체의 오염 물질과 온실가스 배출 행위가 지구 전체에 피해를 주지만 개별 경제 주체가 이에 대한 대가를 치르지 않는 부정적 외부효과가 존재한다. 둘째, 경제 주체가 지구를 공유 자원으로 인식한다는 점이다. 누구나 숨쉬기 위해 공기를 사용할 수 있으므로 지구는 소유권이 불분명하다는 점에서 비배제성을 갖고, 누군가 대기 오염 물질을 배출하면 다른 사람이 사용할 수 있는 공기의 양은 줄어드는 경합성을 갖는다. 아무도 지구를 아껴 쓰려고 노력하지 않아서 ㉠이 발생한다.
>
> 정부가 ㉡을 시장 실패를 개선하기 위한 문제로 본다면, (다)의 세 가지 방식으로 시장에 개입할 수 있다. 첫째, 정부가 직접 시장에 개입하는 것이다. 정부는 화석연료 사용을 금지하거나 신·재생 에너지 사용을 의무화 할 수 있다. 둘째, 정부는 경제 주체가 화석연료 사용을 줄이고, 신·재생 에너지 사용을 늘리는 행위를 유도하는 경제적 유인을 사용할 수 있다. 즉 정부가 화석연료 사용에 대해서는 세금을 부과하는 한편, 신·재생에너지 연구 개발과 같은 행위에 대해서는 보조금을 줄 수 있다. 셋째, 정부가 시장에 대한 개입을 최소화하여 시장의 효율성에 맡기는 것이다. 정부의 시장 개입은 에너지 자원을 사용하는 산업

자체의 위축을 가져오는 의도하지 않은 효과로 이어질 수 있다. 천연가스는 석탄과 석유보다 온실가스를 덜 배출하면서 풍력과 태양에너지 보다는 경제성이 높기 때문에, 기업이 석탄과 석유 중심의 화석연료 에너지원 구조를 천연가스 중심으로 개편할 때까지 정부가 기다릴 수 있다. (795자)

9. 2022학년도 광운대 수시 논술 2

[문제 1] ⓒ을 ⓔ의 관점에서 비판하고, ⓒ의 근거를 (다)를 바탕으로 서술한 후, ⓜ의 차원에서 ㉠을 평가하시오. (50점, 750±50자)

최근 노키즈존에 대한 논란이 있다. 찬성 의견으로는 자신이 원하는 상점을 만들고 싶은 주인 입장, 조용한 시간을 보내고 싶은 손님 입장이 있는데, 레비나스의 타자 지향성으로 보면 이는 동의하기 어렵다. 타자 지향성은 자신이 아니라 타자에 대한 책임을 우선적으로 생각하는 변화인데, 이를 통해 소수자들과의 공존과 소통을 이루어 낼 수 있다. 이런 윤리적 주체의 시각에서 찬성 의견을 보면, 두 의견에는 타자인 어린이에 대한 타자 지향성이 없고 자신들의 관점만 있어 동의하기 어렵다.

반대 의견의 바탕에는 아이와 부모의 출입 '자유'를 제한하는 것에 반대하는 입장이 전제되어 있다. (다)에 의하면, 다른 사람들이 옳지 못한 행동을 하도록 영향을 끼칠 수 있다면 그런 자유는 무제한적으로는 허용될 수 없다. 특히 다른 사람에게 해를 끼치거나 타인의 자유를 제한하는 자유는 제한되어야 한다. 무엇보다 자신들의 의견을 스스로 말할 수 없는 아이들의 자유를 제한하면 이는 강하게 반대해야 한다. 그래서 노키즈존은 설치되어서는 안 된다.

노키즈존 논란은 사회 유지와 인구 부양에 위협을 주는 저출산 문제와도 연결되는데, 출산율을 높이기 위해서는 사회적 여건 조성 이전에 어린이에 대한 인식이 변화되어야 한다. 가령 아이를 미성숙한 훈육의 대상으로 보거나 친자와 양자를 차별하면 안 된다. 이런 시각에서 노키즈존을 보면, 이 시설은 아이를 문제의 소지가 있는 미성숙한 존재, 피하고 싶은 대상으로 바라본다는 것을 알 수 있다. 저출산 문제를 해결하기 위해서는 어린이에 대한 인식이 변해야 한다는 것을 노키즈존 논란이 증명한다. (789자)

[문제 2] (가)를 활용하여 ㉠을 비판하고, (다)를 활용하여 ⓒ의 문제점을 지적한 후, ⓔ과 ⓜ의 입장에서 ⓒ의 상황을 설명하시오. (50점, 750±50자)

㉠의 수정 자본주의는 국가가 적극적으로 시장에 개입하여 시장 실패를 해결해야 한다고 주장한다. 그러나 오히려 거의 모든 문제는 시장에서 해결되고, 시장에서 해결되어야 할 일에 정부가 개입하면 (가)의 밸리 포지 사례처럼 왜곡된 결과를 가져오거나 회복될 수 없는 부작용을 낳기도 한다. 따라서 정부의 개입은 항상 제한적으로 이루어져야 한다.

ⓒ의 신자유주의는 정부의 지나친 시장 개입을 비판하고 민간의 자유로운 경제 활동을 옹호한다. 그러나 지나친 효율성의 추구는 빈부격차의 확대로 인한 양극화 현상을 발생시켜 사회갈등을 증폭시킬 수 있다. (다)에서도 편의점 업계의 전체 매출과 편의점 프랜차이즈 회사의 영업이익은 큰 폭으로 상승했음에도 불구하고 편의점 주인들은 오히려 수익이 줄어들었으며, 불공정한 계약으로 인하여 마음대로 그만둘 수도 없는 상황이다.

아르바이트 점원들 역시 비정규직으로 최저임금만을 받고 장시간의 노동을 하고 있다. 기업의 경제적 책임만을 중시하는 ⓔ의 입장에서는 편의점의 성장으로 고객의 편의가 증대되었고 이윤이 편의점 프랜차이즈 기업뿐만 아니라 ⓒ의 편의점 점주와 아르바이트 점원들에게도 배분되었으므로 기업이 그 책임을 다한 것으로 본다. 그러나 기업은 경제적 책임뿐만 아니라 이해관계자에 대하여 사회적 책임도 부담하여야 한다는 ⓜ의 입장에서는 편의점 프랜차이즈 기업은 협력 업체인 편의점 점주와 공정한 계약을 체결하고, 동반성장에 관심을 기울여야 한다. 또한 편의점 프랜차이즈 기업과 편의점 점주는 편의점 아르바이트 점원들의 임금 및 노동 환경의 개선에도 노력을 하여야 한다. (786글자)

10. 2022학년도 광운대 모의 논술

[문제 1] (다)의 '농부'와 '나'의 관점에서 ⓛ과 ⓔ을 연관시켜 서술하고, (라)의 내용을 활용하여 ⓐ과 ⓒ에 대한 입장을 논술하시오. (50점, 750±50자).

기회비용이란 선택 상황에서 포기해야 하는 대안 중 가장 가치가 큰 것을 의미한다. 선택 상황에서는 기회비용과 편익을 분석해서 가장 적은 비용으로 가장 큰 편익을 얻을 수 있는 대안을 선택하는 것이 합리적이다. 농부의 관점에서 잡풀과 농작물 중 잡풀의 기회비용이 논밭에 심은 농작물의 기회비용보다 더 작고 농작물의 편익이 잡풀의 편익보다 더 크므로 농부는 잡풀을 베고 뽑고 농약으로 죽이는 선택을 한다. 그러나 '나'는 이러한 관점이 자연의 본성을 고려하지 않는 인간의 이기적인 생각이라고 비판한다. '나'는 고추 밭에 난 잡풀을 베면서 오른 풀 독을 대하면서 자연의 대응은 인간의 생각과 다르며, 자연으로 대변되는 잡풀의 기회비용이 인간의 편익을 위한 작물의 가치에 비해 작다는 생각은 자연을 배려하지 않는 것이라고 본다.

(라)에서 자유주의는 개개인의 자유와 권리가 존중되는 사회를 지향함으로써 개인선과 사적인 이익을 자유롭게 추구할 수 있다고 주장한다. 자유주의는 개인의 사적인 이익을 위한 자율적이고 공정한 경쟁을 지향한다는 점에서 개인이 합리적 선택을 통해 만족과 이익을 도모하는 것을 권장한다. 그러나 지나친 사익의 추구는 공익을 위협하고 공동체의 이익을 저해할 수 있다. 이에 공화주의는 공공의 가치와 공동선을 존중하고 이를 실현하기 위한 일에 적극적으로 참여하는 시민적 덕성을 강조한다. 윤리적 소비는 소비 행위가 공공에 미치는 영향을 고려하여 바람직한 소비를 실천함으로써 인권, 정의, 환경 등 보편적 가치의 구현을 추구한다는 점에서 공동선의 실현을 위한 덕성을 강조하는 공화주의와 그 지향점이 일치한다. (797자)

[문제 2] ⓐ의 관점에서 ⓒ처럼 말한 이유를 설명하고, ⓛ의 관점에서 ⓔ처럼 표현한 이유를 ⓜ을 활용하여 논술하시오. (50점, 750±50자).

인간의 자연에 대한 가치관이나 사고방식 가운데 하나인 인간 중심주의는, 자연보다 인간을 중심에 둔 가치관이다. 인간의 이익과 행복을 위해 자연을 도구화하는 관점으로, 이 관점이 과학 기술을 발전시켰고 경제 성장을 이루게 만들었지만, 환경 오염, 생태계 파괴 등의 문제를 일으키기도 했다. ⓒ의 "빈대 잡겠다고 초가삼간 태우겠다는 미친놈 짓거리"는 경제 발전과 조국 근대화(초가삼간)를 위해 자연(빈대)을 파괴하는 것을 말한다. 공장의 폐수로 물고기와 새들이 죽었지만, 사람이 죽은 것이 아니라서 하찮게 여긴다. 이것은 전형적인 인간 중심주의 관점으로, 자연을 인간의 욕구 충족의 도구로만 바라본다.

자연이 그 자체로 존중 받을 가치가 있다는 생태 중심주의는 자연 안의 모든 생명은 평등한 가치와 권리를 지닌다고 보기 때문에, 생태계 전체를 '생명 공동체'로 바라본다. 이 관점에서 보면, "허파도 별빛이 묻어 조금은 환해진다"라는 표현은 시적 화자가 밤공기를 들이쉬니 밤공기 안에 있는 온갖 자연의 소리가 허파 속으로 들어와 환해진 상태를 말한다. 인공의 소리인 텔레비전을 끄자 들리는 자연의 소리는 환하고 거기에 별빛마저 묻어 있다. 이 상태는 노자의 무위자연으로 설명할 수 있는데, 무위자연이란 인위를 행하지 않고 자연에 따르는 것을 말한다. 다시 무위자연은 인위적인 것은 인간의 본성과 어긋난다는 사상으로, 생명을 중시하고 몸과 마음, 우리와 환경 등의 관계를 관찰하게 만든다. 시적 화자가 ㉣처럼 느낀 것은 인위가 아니라 무위자연의 마음을 지녔기 때문이다. 인위나 문명이 아니라 자연을 받아들인 상태를 표현한 것이다.(798자)

11. 2021학년도 광운대 수시 논술 1

[문제 1] (가)의 ㉠을 바탕으로 (나)와 (다)를 각각 설명하고, (라)의 ㉡과 ㉢에 드러난 ㉠에 대한 인식을 서술하시오. (50점, 750±50자)

반문화는 두 가지 인식을 보인다. 하나는 (나)의 히피 문화에서 알 수 있듯, 전쟁과 폭력에 대한 반전평화의 메시지를 비롯하여, 물질 중심의 현대 문명에 대한 비판적 저항 및 성찰의 문화를 표방한다. 그리하여 사회가 바람직한 방향을 모색하는 데 문화적 자극을 주는 반문화의 긍정적 인식을 나타낸다. 다른 하나는 (다)에서 살펴볼 수 있듯, 폭주족은 오토바이 질주와 곡예 운전을 하며 그들의 평소 억압 욕망을 자유롭게 표출하는 문화를 즐긴다. 그러나 거리의 교통 법규를 크게 위반함으로써 다른 사람들의 생명을 심각히 위협한다. 이것은 한 사회의 안정된 질서에 혼란을 초래하는 반문화의 부정적 인식이다.

㉡과 ㉢은 훈민정음 창제와 관련한 반문화의 두 인식을 뚜렷이 보여준다.

훈민정음 창제 이전까지 문자는 양반 사대부의 전유물이었다. 그들은 문자 생활을 통해 학문을 익히고 양반 사대부 중심의 주류 문화를 유지해왔다. 그런데 훈민정음이란 새 글자가 널리 유포되면, 민중이 온갖 지식을 축적하게 됨으로써 양반 사대부 중심의 안정된 주류 문화의 질서가 유지되기 어려워 사회 혼란을 초래할 수 있다. ㉡은 이처럼 훈민정음이 지닌 반문화의 부정적 인식을 드러낸다.

그런가 하면, 훈민정음이 상용되면, 세상의 다양한 종류의 정보와 지식뿐만 아니라 모든 사람의 생각과 느낌을 자유롭게 표현할 수 있으므로 양반 사대부 중심의 주류 문화와 지배 질서에 대한 비판적 성찰이 가능해진다. 그리하여 사대부 중심의 사회보다 나은 방향으로 나갈 수 있는 계기를 모색할 수 있다. 이것은 훈민정음이 지닌 반문화로서 긍정적 인식이고 ㉢은 이를 의미한다. (797자)

[문제 2] (가)의 ㉠의 현상의 원인을 (가)의 [표 1]과 (나)의 내용을 활용하여 설명하고, (나)의 ㉡에 대해 (가)의 [표 2]를 통해 비판한 다음, (나)의 ㉢에 대한 해결책을 (다)와 (라)를 활용하여 서술하시오. (50점, 750±50자)

(가)의 나홀로 현상은 [표 1]에서 2010년 이후 2020년까지 1인 가구의 지속적인 증가와 (나)의 산업화, 도시화 및 인터넷 통신망의 과잉 연결에 기인한다. 현대 사회는 효율성과 합리성을 지향하고 익명성과 제한적인 인간관계로 특징지어지는 도시성을 확산시켜 사회적 유대감의 약화를 초래하였다. 현대 사회는 또한 공동체보다 개인의 가치와 성취를 중시하는 개인주의적 가치관이 확산하면서 타인의 고통이나 사회 현상에 대한 무관심과 이기주의가 팽배해졌다. 마지막으로 인터넷 통신망으로 지나치게 연결된 현대 사회는 현실의 인간 관계와 사람 간의 진정한 소통을 막아 나홀로 현상을 가중시켰다.

[표 2]에서는 사람들이 홀로 지내는 것이 불편하지 않으며, 개성과 자유를 누릴 수 있고, 타인의 취향과 시간을 맞출 필요가 없다는 긍정적인 측면이 있음을 들어 (나)의 개인주의적 성향이 위험 사회를 가속화한다는 울리히 벡의 주장을 반박한다.

사람간의 소통과 관심을 저해하는 과잉 연결은 (다)의 미움, 공포와 우울, 무관심으로 가득 찬 무정한 사회를 초래할 수 있다. (라)에서 사람 간의 연결은 현대 사회의 개인화되고 적대적인 삶에서 벗어나게 하고 일상의 문제를 해결하는 비빌 언덕의 관계를 제공한다. 인간의 삶은 가족, 이웃과 더불어 서로 돕는 삶에서 시작하고 이러한 이웃간의 유대가 공동 이익의 근간이 된다. 인터넷 통신망의 과잉 연결에서 벗어나 이웃과 인사를 나누고 정을 쌓는 것을 사회와 인간 관계를 회복하는 출발점으로 삼아 정의와 돈수를 통한 화목한 분위기와 타인에 대한 관심이 넘치는 유정한 사회를 지향하자. (792자)

12. 2021학년도 광운대 수시 논술 2

[문제 1] (가)의 ㉠을 바탕으로 (나)의 ㉡과 (다)의 ㉢을 설명하고, (라)의 ㉣의 관점에서 (나)와 (다)의 주장에 대해 논술하시오. (50점, 750±50자)

심근성의 문화와 천근성의 문화는 상반된 개념이다. 소나무처럼 다른 곳으로 쉽게 옮겨지지 않는 전자는 이념이나 정통에 뿌리 박고 있는 문화이고, 버드나무처럼 뿌리는 얕지만 이동이 용이한 후자는 이식과 수용·적응이 잘되는 문화다. 심근성의 문화로는 ㉡의 기쿠유어를 들 수 있다. 기쿠유어는 수천 년을 이어온 경험, 생각, 감정, 사상들이 환경과 맞게 결합된 것인데, 사용자들에게 맞는 의미와 뉘앙스의 차이를 지니고 있고, 함축적인 힘, 마술성, 자족미도 있어 쉽게 바뀌지 않기 때문에 심근성의 문화를 대표한다. 천근성의 문화로는 ㉢의 한자를 들 수 있다. 글자가 없던 한반도는 중국 글자인 한자를 받아들여 소통이 가능하고 기록을 남겼으며 많은 문화적 발전을 이루었기 때문에 한자가 천근성의 문화를 대표한다.

윌리엄스가 언급한 '선별된 전통'은 후세대가 선택한 과거 문화만 전통으로 남게 됐다는 주장이다. 가령 프랑스의 것이 아니었지만, 프랑스 사정에 맞게 자국화해 프랑스의 상징이 된 포도주가 이를 대변한다. 이 개념으로 (나)를 보면, 기쿠유어를 식민주의자들이 강제로 영어로 바꾼 상황을 원주민들이 받아들이기 쉽지 않고, 설령 받아들인다 하더라도 아프리카 상황에 맞는 영어로 발전할 것이다. (다)를 보면 청나라를 오랑캐로 인식해 그들의 문화를 받아들이지 않아 발전이 더디다고 주장하는데, 조선에 필요한 선진 문화라면 수용해 자신의 문화로 만들 것이고, 그렇지 않으면 수용하지 않을 것이다. 문화 수용은, 외부에서 강압하든 내부에서 강권하든 강제할 수 없다. (759자)

[문제 2] (가)의 ㉠을 (나)를 바탕으로 평가하고, (라)의 [사례]에 대하여 ㉡과 ㉢을 활용
하여 서술하시오. (50점, 750±50자)

┌───┐
│   직업은 사회적 자원을 획득하는 주요 수단이므로 사회적 불평등이 심화될수록 사람들은
│ 사회적 자원을 획득하기에 용이한 직업을 선호하게 된다. 결국 직업 선택에 있어서 경쟁이
│ 발생하게 되는데, 이러한 경우 일반적으로 학력이 공정한 분배 기준으로 여겨진다. 능력주
│ 의를 긍정하는 입장에서는 학력은 자신의 능력과 노력에 대한 보상이므로 이를 통해 선망
│ 하는 직업을 선택하는 ㉠의 현상은 당연한 것이다. 그러나 이에 대해서는 개인의 능력이란
│ 경제적 또는 사회적 배경을 떠나서 생각할 수 없으므로 학력이 공정한 분배 기준이 되기는
│ 어렵고 ㉠의 현상은 오히려 부의 대물림 현상을 초래할 수 있다는 비판이 있다.
│   (라)의 사례정책은 사회적 약자에 대한 차별을 해소하기 위한 적극적인 우대 조치이다.
│ 자유주의적 정의관은 개인의 권리를 보호하고 존중하는 것을 정의라고 보기 때문에 개인의
│ 능력에 따라 사회적 자원을 분배하는 능력주의를 긍정한다. 이러한 입장에서는 (라)의 사
│ 례는 능력에 따라 분배하지 않고 역차별을 발생시키는 정책이다. 반면 공동체주의적 정의
│ 관은 공동체가 추구하는 공익과 공동선을 달성하는 것을 정의라고 파악한다. 능력주의에
│ 따른 직업 선택의 경쟁에서 패배한 사람들은 사회적 약자로 전락하게 될 뿐만 아니라 능력
│ 의 부족에 대한 좌절과 상위 계층에 대한 분노로 사회갈등을 야기할 수 있다. 따라서 공동
│ 체주의적 정의관의 입장에서 (라)의 사례는 사회적 약자를 배려하여 사회갈등을 예방하고
│ 사회통합이라는 공동선을 실현하는 정책이다. (740글자)
└───┘

13. 2021학년도 광운대 모의 논술

[문제 1] ㉠을 (다)의 내용과 연관시켜 설명하고, ㉡에 대한 (나)의 입장을 (다)의 내용을
활용하여 서술한 다음, ㉢을 (라)의 관점에서 논술하시오. (50점, 750±50자).

┌───┐
│   피노키오의 코는 거짓말에 늘어나 피노키오의 말과 행동을 통제하는 장치로 작용한다. 이
│ 는 (다)에서 인공지능 로봇을 통제하는 문제와 관련이 있는데 도덕적 기준이나 규약을 만
│ 들어 로봇이 지키게 하거나, 사회적 합의나 의도에서 벗어나지 않도록 로봇을 조종하는 장
│ 치를 삽입하는 것과 같이 인공지능 로봇이 인간의 통제 내에 있게 하는 다양한 기술적 방
│ 법을 구현하는 것이다.
│   (나)에서 로봇의 의인화에 대해 로봇은 인간과 동등하지 않으므로 로봇을 인간의 수준으
│ 로 높이고 동일시하는 의인화는 적절하지 않다고 주장한다. 그 근거로 (다)에서는 인간이
│ 로봇과 다른 점으로 인간의 고유한 특성인 감정과 의지가 있으며, 이는 인간을 로봇과 구
│ 분하는 중요한 요소라고 말한다. 인류는 부족하고 약한 존재이지만 고통과 결핍에서 유발
│ 된 감정을 원천으로 유연함과 창의력을 통해 수백만 년의 생존과 진화 과정에서 역사와 문
│ 명을 발달시켜 왔다. 감정과 의지에 기반한 유연성과 창의성은 로봇과 같은 기계가 가질
│ 수 없는 인간 특유의 속성인 것이다.
│   (라)에서 인간은 누구나 고통이나 죽음과 같은 한계 상황에 직면하며 이는 불가피하게 개
│ 인의 주체적인 의지와 결단을 필요로 하는데 이를 통해 개인의 정체성이 형성된다고 말한
│ 다. 실존주의 사상은 과학 기술의 발전으로 인간이 로봇과 같은 기계에 종속될 수 있는 무
└───┘

기력한 상황에서 인간의 본원적인 주체성과 존엄성을 잃지 말아야 함을 주장한다. 인공지능 로봇이 인간의 삶에 지대한 영향을 미칠 것으로 예견되는 상황에서 우리는 인간으로서의 존엄성과 정체성을 인식하고 주체적 존재로서의 삶의 의미를 되새겨 봐야 한다. (797자)

[문제 2] ㉠과 ㉢의 공통점과 차이점에 대하여 ㉡과 ㉣을 활용하여 각각 설명한 다음, (나)의 내용을 사례로 활용하여 ㉤에 대하여 설명하시오. (50점, 750±50자)

마녀사냥과 다문화 정책은 다른 문화를 대하는 태도에 있어서 매우 큰 차이를 내포하고 있다. 이 차이는 타자에 대한 환대의 자세로서 세계 시민주의의 바탕을 이루는 필로크세니아라는 삶의 원칙을 수용하는지 여부에 있다. 다문화 정책은 다양한 이민자 집단들 간의 문화적 차이와 이질성을 포용하고 인정함으로써 공존을 추구하는 정책이므로 필로크세니아에 따른 것인 반면, 마녀사냥은 지배적인 문화적 가치에 복종하지 않는 개인이나 집단을 극단적으로 혐오하고 배척하는 현상으로 필로크세니아를 결여하고 있는 것이다.

이러한 근본적인 차이점에도 불구하고 양자는 사회 질서를 유지하기 위한 합리적인 행위라는 점에서 공통점을 띤다. 다문화 정책은 기존의 인종 차별 정책이 심각한 사회 갈등을 초래한 데 대한 반성을 통해 다양성을 인정하고 공존을 추구하는 것이 사회 통합과 질서 유지에 훨씬 더 유익한 것이라는 교훈을 얻게 되면서 도입된 정책이다. 마녀사냥도 타자에 대한 억압과 배제라는 부정적 측면이 있지만 이를 통해 대다수 사회 구성원들을 '균질한 영혼'으로 길들임으로써 사회 통합과 질서 유지에 기여한다는 순기능적 측면이 있다.

한 사회 집단이 과거의 잘못된 시대적 편견에서 벗어나 새로운 가치관이나 세계관을 수용하는 것을 패러다임의 전환이라고 하는데, 이 변화는 하루아침에 손쉽게 이루어지지 않는다. (나)의 나라들이 인종 차별 정책으로부터 다문화 정책으로 전환하는 과정을 일례로 들 수 있다. 이들 사회에서 인종 차별을 당연시하는 백인 우월주의적 편견을 극복하는 변화는 장기간에 걸친 사회적 진통과 갈등의 과정을 거쳐 서서히 이루어진 것이다. (798자)